中国当代医疗百科专家专著（三）

脾胃疾病诊疗与研究

主　编　李庆明
副主编　阚方巨　钟娃　卢致鹏
编　委　(以姓氏笔画为序)
冯春霞　卢致鹏　李可航
李庆明　李建军　闵存云
余　谦　钟　娃　黄启辉
程志安　蒙荣森　阚方巨
谭朝晖　魏昌秀

中医古籍出版社

图书在版编目（CIP）数据

中国当代医疗百科专家专著 .3/《中国当代医疗百科专家专著》编委会编 .－北京：中医古籍出版社，2006.3

ISBN 7－80174－364－4

Ⅰ.中… Ⅱ.中… Ⅲ.临床医学－经验 Ⅳ.R4

中国版本图书馆 CIP 数据核字（2005）第 109843 号

脾胃疾病诊疗与研究

主　　编：李庆明

责任编辑：刘从明　石　玥
封面设计：陈　娟
出版发行：中医古籍出版社
社　　址：北京东直门内南小街 16 号（100700）
印　　刷：北京市北中印刷厂印刷
开　　本：850mm×1168mm　1/32
印　　张：6.875
字　　数：160 千字
版　　次：2006 年 3 月第一版　2006 年 3 月第一次印刷
印　　数：0001～2000 册
书　　号：ISBN 7－80174－364－4/R·363
定　　价：13.00 元（全套 130.00 元）

主编简介

李庆明，男，1939 年 1 月出生，广东省兴宁市人。中山大学附属第二医院教授、主任医师、博士生导师，曾任中山大学附属第二医院中医科主任、附属第五医院中医科主任，现任中山大学中西医结合研究所副所长、中西医结合学会广东省脾胃消化专业委员会副主任委员。曾获国家自然科学基金资助课题，获广东省中医药科技进步三等奖一项、国家教育部科技进步三等奖一项及第三届世界传统医学大会（美国）国际金奖一项。

从医从教 40 年　中山大学附属第二医院

孫逸仙博士
SUN YAT-SEN
HOSPITAL
热烈庆祝中山大学
院建院170周年

序

近日恭读了庆明学兄主编的《脾胃疾病诊疗与研究》、《老年痴呆研究》的书稿，此书为中国当代医学百科专家专著系列丛书之一，读后感悟良多。

庆明学兄出身西医，自学生时代就崇尚中医，至诚至挚，他向来认定中西医结合乃中国医学发展朝阳之途，虽路多艰辛，然其矢志不移，一路披荆斩棘，历经砥砺，学验俱丰。

如今庆明兄虽年逾花甲，但仍笔耕不辍，集其四十载宝贵之经验化为佳作，惠及同道、后学，其“老骥伏枥，不用扬鞭自奋蹄”的拳拳之心跃然纸上，令人感佩。

庆明兄长期从事医疗实践，以中医理论为指导，遵从古训而不泥古，紧扣“辨证”核心，擅治疑难病症，心得颇多，此书即为其心得之凝炼；同时，他潜心于老年性痴呆、胃癌的科学研究，孜孜求索，颇多真知灼见，本书也是其科研建树的集锦汇萃。因此，本书是一本科学性、实践性俱优的佳作。此书即将付梓问世，愿以此为序，以示祝贺。

中 国 中 西 医 结 合 学 会　　副会长

中山大学　中西医结合研究所　　所　长

吴伟康　教授　博士生导师

2005.09.01　于花城

目　录

急性胃黏膜病变与胃黏膜保护研究

急性胃黏膜病变（acute gastric mucosal lesion，AGML）是指以胃黏膜糜烂和急性溃疡为特征，且往往引起急性上消化道出血的疾病。由于病因常不明确，以往常按病变表现命名为急性糜烂性胃炎、出血性糜烂性胃炎和出血性胃炎等，发生于某些疾病过程或某些药物的急性胃黏膜病变，包括由黏膜糜烂至坏死的病理变化，统称应激性溃疡。本病是一综合征，它是由于多种不同致病因素作用于胃肠黏膜的共同结果。祖国医学属“胃脘痛”、“腹痛”、“吐血”、“呕血”、“便血”等范畴。

一、胃黏膜防御机制

胃黏膜在生理状态下能经受胃酸、胃蛋白酶的侵蚀，是由于胃黏膜的细胞保护作用。胃黏膜保护作用由多种因素介导，这些因素相互连系、相互作用，形成复杂的网络体系，并受全身和局部神经、体液及腔内物质的调节。黏膜防御的第一线是胃酸—杀菌作用。此外，主要有以下五个方面：①胃黏膜上皮细胞分泌的黏液/碳酸氢盐的保护作用：黏液层能减少胃腔内 H^+ 向黏膜的弥散；黏液内 HCO_3^- 可与返流的 H^+ 发生中和作用，形成 PH 梯度。②上皮的快速生长可更新受损细胞，维持胃黏膜的完整性。人的胃上皮细胞每分钟有 50 万个脱落，完全更新需 2～4 天。胃上皮表面存在一层表面活性磷脂，具有表面活性剂作用，可使黏膜不致直接接触腔内酸性液体。③胃黏膜血流（MBF）可提供必需的氧和营养物质，并移去局部组织内的代谢产物和毒性物质，以增强细胞的抵抗力。④黏膜免疫细胞，定居在固有层的肥大细胞和巨噬细胞作为警戒细胞，可感受异体成份，释放一系列炎性介质和细胞因子，形成适当的炎性反应。⑤胃黏膜内源性细胞保护因子，如某些含有巯基（SH）的化合物通过对生成的自由基的清除作用，参与黏膜局部的防御机制。

二、急性胃黏膜病变发生机制

急性胃黏膜病变的发病机理是由于各种应激作用于中枢神经系统和胃肠道，通过神经内分泌和消化系统的相互作用，使得维持胃、十二指肠黏膜完整的攻击因子和保护因子之间的平衡破坏，最终导致黏膜发生病变，造成急性胃黏膜损伤。

H^+的逆扩散

（一）H^+的逆扩散

胃的覆盖上皮是一种将胃腔与组织间质分隔开的黏膜屏障。它是由单层高柱状黏液上皮构成，分泌的中性黏液形成一黏液膜以保护胃黏膜。使胃腔处在两种介质即组织间质（PH7.4）与胃内容物（PH2.0）之间，胃腔内和胃的间质之间保持一明显的H^+浓度梯度。正常情况下，H^+的逆扩散保持在正常生理限度内，它取决于黏膜的屏障能力与足以维持代谢需要并能缓冲逆扩散回的H^+所需的血供。即充足的血流，血液中重碳酸盐及碳酸酐酶系统可防止H^+逆扩散。严重创伤时，黏液/碳酸氢盐分泌减少，且由于胃肠功能紊乱，胆汁反流，胆盐对碳酸氢盐分泌具有抑制作用，并间接抑制黏液的合成，从而使黏液/碳酸氢盐屏障破坏。胃黏膜屏障受损，H^+逆扩散即成为病理状态。逆扩散与胃黏膜受损的程度和胃液内H^+浓度密切相关成正比关系。胃黏膜的屏障作用可有内、外因素使之受损：①外源性因素：包括许多化合物如酒精、尿素、皮质类固醇、胆盐、洋地黄、依地酸、特别是阿司匹林等都促使H^+逆扩散。阿司匹林在PH7时是水溶性，不能通过脂蛋白的细胞膜，而在 PH2 时是脂溶性，能通过并损伤细胞膜，促使 H^+ 逆扩散。Davenport 报道，证明水杨酸制剂及胆盐均能使 H^+ 迅速由胃腔进入胃黏膜内，并破坏胃黏膜，导致应激性溃疡。②内源性因素包括有缺血、缺氧。这些因素将减弱细胞中和逆扩散回的 H^+ 的能力。细胞缺氧致使三羧酸循环不完全，细胞膜通透性增加，H^+ 逆扩散增加。这些因素持续作用下去，将导致组织水肿与间质出血，继之大量血液丧失与血浆渗入胃腔，进一步造成缺血、缺氧，这样形成了一个自身的恶性循环。H^+ 逆扩散可引起许多病理生理后果，主要的是 H^+ 促使组胺与 5－羟色胺释放，组胺与 5－羟色胺能直接刺激泌酸细胞分泌更多的酸，尚可使胃蛋白酶分泌增加，这样由于胃液中 H^+ 浓度增加，便进一步促使 H^+ 逆扩散，而又形成了另一个恶性循环。组胺能扩张胃黏膜毛细血管并增加其通透性，而产生黏膜水肿，进一步损伤黏膜屏障，使蛋白质与葡萄糖进入胃腔。随着黏膜损伤的加重，最终结局导致出血。

（二）胃黏膜上皮细胞增殖减少，黏膜更新缓慢

维持正常胃黏膜屏障极重要因素之一是完整的胃黏膜表面上皮细胞的脱落与更新。当这一平衡失调，即上皮细胞脱落增加和/或更新减少，可使胃黏膜屏障遭到破坏。采用细胞核有丝分裂观察与测定胃液中脱氧核糖核酸含量的方法，检测胃黏膜表面上皮细胞再生与脱落的数量，其结果发现各种应激或给予肾上腺皮质激素，ACTH 与尿毒症时，胃黏膜表面上皮细胞数减少。有学者用 3H－TdR 掺入法测定了冷束缚应激大鼠胃黏膜有丝分裂的细胞数量，结果发现应激状态下胃黏膜细胞有丝分裂率及标记细胞数量均较正常组明显减少。上皮更新与对照组相比明显缓慢。Ohno 观察到失血性休克 4h 后，胃泌酸腺黏膜 DNA 合成和有丝分裂活动减少。电镜发现，损伤处上皮细胞从表面脱落丢失增

加。上述这些因素引起胃黏膜表面上皮细胞更新的变化，可以致使上皮细胞间的粘合处分裂，胃黏膜通透性增加，胃黏膜功能障碍，最终发生应激性溃疡病变。

（三）胃黏膜微循环障碍

胃黏膜正常微循环结构的完整，即微血管内皮细胞和血管基底膜的完整是维持正常血液供应的必要条件，只有血液供应充分，氧和营养物质的补给才有保障，细胞更新速度得以维持，黏膜的完整性得以保全。有人报道，在出血性休克与内毒素休克或其物理应激诱发的应激性溃疡的病理学研究中，发现应激性溃疡与胃黏膜微循环的改变关系密切。应激性溃疡病变与胃黏膜血管收缩痉挛、缺血常并存，多见于胃黏膜缺血区这一部位。Kawarada 报道指出，胃黏膜血管收缩痉挛导致胃黏膜微循环障碍，以致胃血流灌注不足是产生应激性溃疡的重要环节。处于应激状态下，胃黏膜小动脉与毛细血管动脉端收缩痉挛，导致胃黏膜缺血、缺氧，致使黏膜细胞内酸性产物增多，且损伤胃黏膜。结果由于酸中毒导致黏膜细胞内的溶酶体酶释放，破坏溶酶体，胃黏膜上皮细胞损伤并坏死，形成应激性溃疡。在应激状态下，交感神经与迷走神经可引起兴奋，前者导致黏膜血管收缩、痉挛，后者则使黏膜下动静脉短路开放，致使胃黏膜缺血加重。同时，迷走神经兴奋还可引起胰腺消化酶的释放，幽门开放，十二指肠碱性内容物反流至胃腔内，使胃黏膜受损，这也是加重应激性溃疡的重要因素。

（四）氧自由基的损伤作用

在应激状态下胃黏膜可产生大量氧自由基，其机制为胃黏膜中含有丰富的黄嘌呤脱氢酶，在黏膜缺血时黄嘌呤脱氢酶转化为黄嘌呤氧化酶，后者可代谢次黄嘌呤而形成大量的超氧离子。超氧离子还可吸引并激活中性粒细胞，进一步释放超氧离子，导致细胞膜完整性破坏，核酸合成减少，上皮细胞更新减慢及某些巯基化合物减少，出现黏膜损害。急性胃黏膜损害时氧自由基的来源因病因不同而异，缺血—再灌注损伤时主要来自黄嘌呤氧化酶，NSAID引起的胃黏膜损伤时氧自由基的主要来源是白细胞，酒精性胃黏膜损伤时可能来自醛氧化酶。氧自由基损伤胃黏膜的机制有：①与细胞膜内多价不饱和脂肪酸结合，形成脂质过氧化物而破坏细胞内线粒体和溶酶体，造成细胞死亡；②与含巯基的氨基酸结合，使蛋白质和酶失活，破坏上皮间质透明质酸酶和胶原纤维网。

（五）前列腺素等物质的作用

胃黏膜内前列腺素（主要是 PGE_2）可维持和促进胃黏液及碳酸氢盐的分泌，改善胃黏膜微循环，抑制胃酸分泌及促进上皮细胞的更新。阿司匹林类药物，由于可抑制环氧化酶而阻断组织内前列腺素的生物合成，从而降低了胃和十二指肠的细胞保护作用，导致黏膜损害。与前列腺素作用相反，血栓素A2、血栓素拟似物及白三烯C4均有增强血管收缩作用，可引起严重黏膜病变。由白细胞、巨噬细胞及上皮细胞合成并释放的血小板活化因子（PAF）在炎症过程及内毒素性休克的发展中起一定作用，可能也参与胃溃疡的发病过程。

（六）神经内分泌失调

消化系统的功能与中枢神经系统之间存在密切联系，应激状态下引致神经内分泌失调，涉及神经中枢、神经介质、传导途径、递质释放及受体等诸多因素。下丘脑外侧区（LHA）、室旁核（PVN）、海马及杏仁核是形成AGML重要的中枢部位。损毁LHA或海马两侧部或腹部可加重AGML。某些神经肽类物质能调控胃肠道的分泌与运动功能，有些则可影响胃黏膜的血管舒缩功能，参与应激性溃疡的形成。已知消化道的黏膜下层微动脉具有丰富的神经丛支配，神经纤维内含有多种肽类物质：P物质(SP)、降钙素基因相关肽（CGRP)、血管活性肠肽（VIP）和神经激肽A（NKA)。现已证明胃黏膜辣椒素敏感传入神经元为肽能神经元，受到刺激时可引起神经肽的释放以调节微血管的运动。这些神经递质中以CGRP扩张血管的作用最强，并中介了胃内酸返流引起的胃充血反应，SP和NKA则无扩张胃血管作用，有证据表明胃黏膜传入信息参与胃黏膜血量的调控及其防御机制。大鼠胃内应用小剂量辣椒素（刺激感觉神经肽释放）可保护幽门结扎、酒精及阿司匹林等造成的胃黏膜损伤，而大剂量辣椒素慢性预处理耗竭神经肽后，则几乎加重各种类型的胃黏膜损伤。近胃动脉注射或消化道应用外源性CGRP可防止或减轻许多表面刺激物的致损伤作用。应激状态下中枢TRH释放增加，胃黏膜内多巴胺含量明显降低。上述神经中枢及神经肽主要通过植物神经系统及垂体—肾上腺轴作用于胃肠，引起胃黏膜病理生理改变。

（七）其他因素

如表皮生长因子（EGF）表皮生长因子能刺激黏膜细胞增殖，维持黏膜屏障完整，它主要通过内源性巯基而起作用，另外它还能刺激黏膜单层细胞培养时前列腺素的合成和生长抑素样免疫活性物质的产生。唾液腺含有及分泌EGF，EGF能刺激PGE_2生成，切除唾液腺促进应激的致溃疡作用。EGF和PG可能参与维持黏膜血流、维持胃黏膜完整性。上述机制中任何的环节消失，均可引起黏膜损害和溃疡形成。

综上所述，关于应激性溃疡的发病机制比较复杂，种种因素都不是孤立的作用于胃黏膜，而是综合作用的结果。而且不同的致病因素所致的急性胃黏膜病变其发病机制可能也不尽相同。

三、中医病因病机

中医学对上消化道出血早在《内经》中记载：有“血泄”者，血自上出，表现为吐血、呕血；有“血溢”者，血自下渗，而成便血。吐血由《金匮要略·惊悸吐衄下血胸满瘀血病脉证治》中进行了论述，并以柏叶汤、泻心汤作为治疗吐血的方剂，至今应用仍然有效。《诸病源候论》中列有吐血候或呕血候，观察到多种疾病均可导致出血。吐血主要属于胃的病变。胃为水谷之海，多气多血之腑，若因外邪犯胃或胃本虚弱，均可使胃的脉络受损伤，也可由于他脏的影响，导致胃络受损伤而引起吐血。凡血自大便而下为黑粪，或血便夹杂而下，称为便血。其主要病因病机有：

（一）外邪侵袭，热伤营血

因为暑热或风寒化热入里，热伤营血，使气血沸腾，血随胃气上逆而呕血。如《活人书》中：“伤寒吐血，由诸阳受邪热，初在表，应发汗而不发汗，热毒入深……故吐血也”。

（二）饮食所伤，热结于胃

因平素嗜食辛辣炙搏之品，而致燥热蕴结于胃，胃火内积，扰动血络而外溢，或因嗜食肥甘等，饮酒过多，以致湿热郁结于胃，胃气失和，湿热郁久化火，灼伤胃络，血随胃气上逆而吐出。如《临证指南医案·吐血》说：“酒热伐胃之类，皆能助火动血。”因暴饮暴食，使脾胃升降失司，运化失健，食滞内结，化火伤络，可致吐血。或热蕴于胃，不仅受纳无权，且胃热化火伤络，迫血外溢，血液下渗大肠而便血。如《类证治裁·便血》中：“便血由肠胃火伤阴络，血与便下。”

（三）情志内伤，肝火犯胃

郁怒伤肝，或情志抑郁，肝气郁结化火，肝火犯胃，损伤胃络，迫血上行，或素有胃热，又由肝火扰动，气逆血奔而上逆以致吐血。如《素问·举痛论》中："怒则气逆，甚则呕血……。"或因忧思恼怒，情志过极，使肝之疏泄失司，肝气郁滞，久则气滞血瘀，以致肝经脉络血行瘀滞。肝脉郁结，络破血溢，下渗肠道而便血。《血证论·便血》中："盖肝血上干，从浊道则吐，从清道则衄；肝血下渗，从清道则尿血，从浊道则下血。"

（四）劳倦久病，脾气虚弱

劳倦过度，损伤脾胃，或久病脾虚，脾气虚弱不能统血，血液外溢，上逆而吐血。或脾胃素虚饮冷，以致寒郁中宫，脾胃虚寒不能统血，血溢脉外而吐血。《医贯·血症论》中："胃者，守营之血，守而不走，存于胃中，胃气虚不能摄血，故令人呕吐，从喉而出于口也。"久病脾虚，或因劳倦，饮食不节，损伤脾胃，以致脾气虚衰，失于统摄，气不摄血，血无所归，离于脉络，溢入肠道而便血。

此外，若因气滞血瘀，或久病入络，瘀血内阻，血脉阻滞不畅，致血不循经，亦可吐血。便血的部位在胃与肠，主要为火与虚，火盛则迫血妄行，气虚则血无所摄，血液下渗而便血。

四、胃黏膜细胞保护研究

（一）胃黏膜血流在胃黏膜保护中的作用

GMBF在胃黏膜防御机制中处于非常重要的地位。胃表面上皮层下致密的毛细血管网给上皮提供营养物质、氧，清除和稀释从胃腔逆流入黏膜的毒性物质。Konturek报道，对人类在阿司匹林（ASA）诱致的急性胃损伤期间检查胃黏膜血流和血小板/中性粒细胞黏附性以探索其发病机理。观察到ASA可损害胃黏膜，大大增加胃黏膜出血量，且与ASA剂量有关。已有研究表明ASA可导致胃黏膜血流减少。ASA可激活中性粒细胞增加选择素P介导的血小板/中性粒细胞黏附性，中性粒细胞与ASA所致的早期胃黏膜损害有关。

李兆申等应用激光多普勒血流计检测了阿司匹林损伤大鼠胃黏膜过程中胃黏膜血流量（GMBF）的变化，同时检测了胃黏膜电位差（PD）。结果表明大鼠在用阿司匹林溶液灌胃后，能引起胃黏膜微循环障碍，上皮细胞受损，黏膜结构的完整性被破坏，故随着GMBF的降低，PD也随之降低，而黏膜损伤指数则渐升高。引起胃黏膜微循环障碍的直接原因是前列腺素的合成减少，所以，若预先给前列腺素E_2则可预防黏膜损伤。

（二）NO、PG在胃黏膜细胞保护中的调控作用

一氧化氮（NO）是由L精氨酸在NO合成酶的催化下产生的具有扩张血管、调节免疫应答、作为神经递质等作用的多功能介质分子。近年来的研究证明，它也是一种重要的胃黏膜保护因子。MacNaughton等首先发现NO对酒精引起的胃黏膜损伤具有保护作用。业已证明：①胃黏膜具有较高水平的NO合成酶活性；②应用小剂量NO供体以提供外源性NO，可以减轻或预防许多实验性急性胃黏膜病变，并加速乙酸诱发的大鼠慢性胃溃疡的愈合；③抑制内源性NO的生成则加重胃黏膜损伤，所用的模型包括缺血－再灌注、应激、酒精、血小板激活因子等；④适应性细胞保护作用和许多药物如硫糖铝、抗酸剂等的胃保护作用可能通过NO介导，阻断NO生成可部分消除其保护作用。NO胃保护作用的机制主要与其增加胃黏膜血流有关。Ogle等研究了内源性NO对冷束缚造成的大鼠应激性溃疡的影响，发现以L－NAME阻断内源性NO可明显加重胃黏膜损伤。

候晓华等通过NO的前体L－精氨酸（L－Arg）和抑制剂L

-NAME对鼠胃黏膜保护作用的研究，来阐明NO在胃黏膜保护中的可能机制。研究证实，外源性给予L-Arg可以明显增加NO含量，而抑制NO合成酶活性后NO含量明显下降，表明L-Arg保护胃黏膜、L-NAME增加胃黏膜损伤是通过改变胃黏膜局部NO水平来实现的。L-Arg可增加胃黏膜NO、氨基已糖含量，增加胃黏膜血流。

前列腺素（PG）具有对抗多种坏死因子致胃黏膜损伤的作用。前列腺素E的受体目前发现有EP1、EP2、EP3、EP4四种亚型，其作用也各不相同。EP2、EP3与胃酸分泌有关，EP4涉及黏液分泌，EP1则与碳酸氢盐分泌和平滑肌收缩有关。PG、NO激活肥大细胞释放介质和抑制白细胞黏附血管内皮，可能产生对胃黏膜有利的作用。抑制PG、NO的合成将增加黏膜对损伤的敏感性。

（三）巯基物质在胃黏膜细胞保护中的作用

巯基物质是指在化学结构上含有SH-基团的一类化合物，分为非蛋白质结合巯基（NPSH）和蛋白质巯基（PSH）。前者主要为还原型谷胱甘肽（GSH），后者主要是指蛋白质肽链上半胱胺酸和胱胺酸残基。已有报道大鼠胃黏膜内富含NPSH，其中95%以上为还原型谷胱甘肽，且泌酸区含量最高。预先给予外源性SH物质，可显著减轻消炎痛、酒精等引起的急性胃黏膜损伤，而预先给予GSH耗竭剂DEM则可诱发或加重胃黏膜损伤。目前，已基本肯定NPSH与前列腺素等是胃黏膜局部重要的内源性保护因子。关于巯基物质的胃黏膜保护作用一般认为主要在于清除受损黏膜局部代谢过程中产生的氧自由基。

（四）胃肠激素在胃黏膜细胞保护中的调控作用

胃肠道中存在着的二、三十种脑肠肽，可通过内分泌、旁分泌、神经分泌等方式作用于消化器官。现已证明对实验性应激性胃黏膜损伤大鼠有保护作用的因子有神经降压素（NT）、蛙皮素(Bombesin)、内源性鸦片肽、生长抑素（SS）、降钙素（Calcitonin）和降钙素基因相关肽（CGRP）。有人利用缺血再灌注、消炎痛、乙醇、强酸和强碱等多种损伤因素诱发的急性胃黏膜损伤大鼠模型，以及用半胱胺诱发的大鼠十二指肠溃疡模型，研究了胰多肽（PP）、SS、CGRP、NPY（神经肽 Y）和上皮生长因子（EGF）等多种脑肠肽的保护作用，发现 SS 可增加细胞对自由基的清除能力，维持细胞内巯基的稳态，并与 PGs 一起中介了胃黏膜的适应性细胞保护作用。中枢注射的神经降压素可保护冷 - 束缚应激大鼠，该作用与胃酸分泌的抑制无关，但需有前列腺素的介导。CGRP 可抑制脂过氧化反应和胃酸、胃蛋白酶的分泌，还可刺激 SS 的释放。有多种实验结果提示除前列腺素外，脑肠肽可能作为第二类细胞保护因子。

（五）神经系统

张建福等报道室旁核（PVN）是应激性胃黏膜损伤的中枢部位之一。有报道在迷走背动力核（DMN）、迷走复合体(DVC）内注射促甲状腺释放激素（TRH）可激活迷走神经调节的 M 受体，通过 PG 和 NO 介导的 MBF 增加起到保护作用。

（六）三叶肽

三叶肽是一类较新的、对胃黏膜有保护作用的因子，主要由乳癌相关肽（PS2 或 TFF1）、解痉多肽（SP 或 TFF2）和肠三叶因子（ITF 或 TFF3）组成。三叶肽通过与黏液糖蛋白的相互作用或交联，形成粘弹性的黏液凝胶层，从而增强胃黏膜的保护能力。诱导上皮细胞迁移，促使损伤后黏膜快速修复。TFF3 可通过酪胺酸或双重特异性磷酸酶活性的激活调节细胞内信息通道，TFF3 能抑制细胞外信息相关蛋白激酶和有丝分裂原激活的蛋白激酶（MAPK）的活性。

（七）细胞凋亡

急性胃黏膜损伤过程中，释放大量的细胞因子，对细胞的增殖和凋亡发挥调节作用，其中 TNF－α、ET－1 促进细胞凋亡，IL—4 抑制细胞凋亡，NO、IL－1 对细胞凋亡发挥多重调节作用。目前研究较多的与凋亡相关的有 Bcl－2/Bax 基因家族、Fas/FacL、C－fos 等原癌基因家族。此外，在应激诱导的细胞凋亡中，存在着受体相关的起动基因，Caspase 家族蛋白酶的激活是许多因素诱导细胞凋亡的共同通路。

五、中药的胃黏膜保护作用

（一）中药复方的细胞保护作用

已报道许多中药复方经动物药效实验和临床验证具有较强的细胞保护作用和促进溃疡愈合作用。王汝俊报道补中益气汤可防止无水乙醇、强酸、强碱和消炎痛造成的大鼠急性胃黏膜损伤，其作用与提高胃壁结合黏液含量和促进 PGs 合成有关。Takase 等研究了黄连解毒汤及其构成药物对乙醇引起的胃黏膜损伤的保护作用，高濑英树等发现它可通过黄连、黄柏与内源性 SH 化合物的相互作用，使胃黏膜屏障的抵抗力增强而发挥作用。黄启荣等提纯出其活性成份小檗碱和黄连碱。陈永详等发现一贯煎煎剂对四种实验性胃溃疡（慢性醋酸型、消炎痛、利血平和幽门结扎型）均有明显的保护作用。其他方剂有曹西华等报道沙参麦冬汤对大鼠乙醇和消炎痛引起的胃黏膜损伤具有明显的保护作用。洪樱等报道小柴胡汤、香砂六君子汤预先给大鼠灌胃可防止 0.2NaOH 所致的胃黏膜损伤。有报道加味左金丸对阿司匹林、氢氧化钠、盐酸、乙醇所致的胃黏膜损伤均有明显的保护作用。高氏认为四逆汤对缺血再灌注引起的胃黏膜损伤的抑制作用与抗氧化反应有关。刘宝臣等采用健脾益气中药组成的“胃黏膜保护方”可预防乙醇、强酸、强碱造成的胃黏膜出血性损伤，其作用机制是增加黏膜表面的黏液凝胶，维持正常的MBF。鄢顺琴等观察到胃痛灵口服液对无水乙醇、0.6HCl、0.2NaOH诱发的胃黏膜损伤大鼠有明显的保护作用，并用免疫组化技术显示胃痛灵不仅能促进溃疡愈合，还能提高溃疡愈合质量，有助于防止胃溃疡的复发和癌变。王桢芩等报道猴头健胃灵可减轻急性胃黏膜损伤，促进冰醋酸性溃疡愈合。朱柏华等报道四方胃片水提液对大鼠应激性和幽门结扎性胃溃疡有明显的保护作用。胃宁胶囊对多种类型胃溃疡均有明显的保护作用，并具有促进溃疡愈合、抑制胃酸分泌、拮抗肠痉挛和明显的抗炎作用。

（二）单味中药的细胞保护作用

在单味中药及其有效成份的细胞保护作用的研究报道中，刘良等证实党参煎剂可防止无水乙醇、强酸、强碱引起的胃黏膜损伤，并进一步研究表明其有效部位为党参酒提取物水溶部分中不溶于乙酸乙酯、正丁醇的部位。韩朴生等报道党参正丁醇提取物对大鼠应激性、幽门结扎型、消炎痛型实验性胃溃疡均有明显的抑制作用。黄玲等发现健脾、清热、化瘀治法的代表中药党参、蒲公英、川芎单味中药均可对抗无水乙醇性胃黏膜损伤，强度为党参＞川芎＞蒲公英，配伍给药未发现增强作用，复方则可明显提高正常和无水乙醇损伤的胃黏膜内PGE_2含量和正常大鼠的胃壁结合黏液含量。王立冬等发现大黄水浸煎剂能有效地防止乙醇和消炎痛造成的胃黏膜损伤，预先给予小剂量消炎痛可取消大黄提高胃黏膜内PGE_2含量的效应，却不能取消大黄对乙醇所致的胃黏膜损伤的保护作用，可能这一作用并非由PGE_2介导。徐萍等证实大黄提取液能促进冰醋酸所致胃溃疡的愈合，并增加胃黏膜血流量。黄梅芬等报道，丹参水溶液能抵抗乙醇所致的急性胃黏膜损伤。丹参能增加胃壁结合黏液量，改善胃黏膜血供、抑制脂质过氧化反应，即增强胃黏膜的自身保护因素及削弱损害因子。李庆明等的研究表明，传统的活血化瘀中药五灵脂及其有效成分对幽门结扎大鼠及利血平所致急性胃黏膜损伤模型有明显抗溃疡与保护胃黏膜的作用。并通过实验研究证实其作用机理：①对幽门结扎大鼠的胃酸分泌有抑制作用；②对苯福林引起的大鼠离体血管环收缩反应有抑制作用；③对 Ach 引起的大鼠离体胃平滑肌收缩反应有抑制作用；④对培养乳鼠胃黏膜细胞有阻止细胞 Ca^{2+} 内流的作用。

（李庆明）

急性胃黏膜病变和应激性溃疡

急性胃黏膜病变（acute gastric mucosal lesion，AGML）和应激性溃疡（stress ulcer，SU）是指以胃黏膜糜烂和急性溃疡为特征，且往往引起急性上消化道出血的疾病。由于病因常不明确，以往常按病变表现命名为急性糜烂性胃炎、出血性糜烂性胃炎和出血性胃炎等，发生于某些疾病过程或某些药物的急性胃黏膜病变，包括由黏膜糜烂至坏死的病理变化，统称应激性溃疡。

1823 年 Swan 第一次报道本病。1842 年 Curling 在烧伤患者发生的急性胃十二指肠溃疡，称为 Curling 溃疡。1932 年 Curling 在中枢神经系统疾病患者发生的急性胃十二指肠溃疡，称为 Curling 溃疡。由于研究方法与观察情况的差异，故有各种不同的名称，最常用的是“应激性溃疡”。近几年来许多学者认为，本病是一综合征，它是由于多种不同致病因素作用于胃肠黏膜的共同结果。Menguy 将不同病因引起的急性胃黏膜表浅糜烂与溃疡总称为急性胃黏膜病变，其所引起的出血则称为急性胃黏膜出血。目前认为本病是一重要而常见的急性上消化道出血的原因。属祖国医学“胃脘痛”、“腹痛”、“吐血”、“呕血”、“便血”等范畴。

一、流行病学

（一）发病率

本病是上消化道出血常见病因之一。据文献报道，在上消化道出血患者中，应激性溃疡的发病率约由 1%～6%增至 11%～36%。但其确切的发生率不十分清楚。某医院资料显示，32%的急性上消化道出血是由本病引起。我院 1973～1974 年间内科住院的115个死亡病例中，除去已知患有可能引起消化道出血的其他疾病外，在病重和危重期间出现黑便和/或呕吐咖啡色液者18例，在临终时呕吐咖啡色液者7例，共占22.2%。

现代由于医疗技术的进步，许多危重疾病由于积极抢救而免于死亡，但在疾病抢救过程中而并发的应激性溃疡确有所增加。据一组报道50例损伤或手术后并发应激性溃疡患者，其中败血症后发生者29例，占58%。有人报道，因肺心病致死较单纯充血性心衰患者致死后急性应激性溃疡的发生率显著增高，显示了肺功能减低与应激性溃疡间的关系。95例慢性肺部疾病患者，发现消化道溃疡者占25.6%。肺部疾病的消化道溃疡大多数位于十二指肠，约占87%以上，发生上消化道出血率为22%。Gray报道ACTH1343例及类固醇激素1361例二组治疗的病例，溃疡的平均发病率分别为6.3%及7.1%。根据时间与剂量不同，发病率自1.2%～2.4%不等。有人在100例冠状动脉血栓形成的患者中发现急性溃疡占17%，其中1例在心肌梗塞后几小时未应用肝素抗凝治疗情况下也发生了上消化道大出血。Toylor等报道心脏手术患者5000例，其中在术后并发应激性溃疡38例，占0.76%。有作者报道手术后179例患者，其中发生胃溃疡41例，十二指肠溃疡21例。如手术范围大，复杂，患者不耐手术，则更易发生溃疡。中枢神经系统疾病或脑手术后并发上消化道出血者约占1%～7%。

据较大量资料报道，烧伤患者胃肠道应激性溃疡的临床发病率为12.5%，而尸检时的发现率为21%。亦有人报道发病率为7%～25%不等。Cnaja报道应用纤维十二指肠镜观察烧伤患者37例，发现十二指肠溃疡27例，占73%。Lucas报道应用纤维胃镜检查急性外伤患者，应激性溃疡发生率高达100%，其中发生明显上消化道出血者占5%～15%。

（二）性别与年龄

临床上任何性别及年龄均可发生应激性溃疡。但在一些慢性疾病患者中，特别是老年人更容易发生。Watson 引述文献指出儿童由烧伤引起的应激性溃疡发生率为 7%～58%，较成人高 2～3 倍。

（三）死亡率

本病的死亡率决定于发生应激性溃疡的基础疾患及出血的量与速度。累及的脏器衰竭越多，死亡率越高。累及 4 个脏器者几乎 100%死亡。由于出血导致的死亡约占患者 50%～77%，较处于监护病房中无上消化道出血的危重病人 9%～22%的死亡率明显为高。

二、病因病机

（一）西医病因和发病机制

1. 病因　引起应激性溃疡的原因甚多，大致有如下几类：

手术：Flower 等发现，外科手术后并发应激性溃疡常在手术后第 7～10 天之间发生。

烧伤：大多数烧伤后应激性溃疡可能在烧伤后第 1 周出现。此外，冻伤亦可发生应激性溃疡。

中枢神经系统损伤：①脑血管意外；②颅内创伤；③颅内肿瘤；④延髓脊髓灰白质炎；⑤其他，如脑病等。

骨折：各种骨折均可引起应激性溃疡。

感染、中毒与代谢疾病：①败血症；②安眠药中毒，如巴比妥类药物中毒；③尿毒症；④糖尿病昏迷。

缺氧：①呼吸功能不全；②肺心病；③麻醉缺氧；④急性喉炎、气管炎；⑤支气管肺癌；⑥严重肺炎；⑦肺梗塞；⑧气胸。

其他：①药物：以皮质类固醇类激素与阿司匹林最多见；其

他如消炎痛、保泰松、利血平、抗代谢药物、酒精、胰岛素、金霉素、呋喃唑酮、洋地黄制剂、黄嘌呤衍化物、氯化钾、噻嗪类利尿剂及吩噻嗪类抗精神病药等；②休克；③脱水；④精神因素。

2. 发病机制　近几年来对应激性溃疡的研究结果认为应激性溃疡的发病机理是由于各种应激作用于中枢神经系统和胃肠道。通过神经内分泌和消化系统的相互作用，使得维持胃、十二指肠黏膜完整的攻击因子和保护因子之间的平衡破坏，最终导致黏膜发生病变，形成应激性溃疡。胃黏膜在生理状态下能经受胃酸、胃蛋白酶的侵蚀，是由于胃黏膜的细胞保护作用。主要有以下四个方面：①胃黏膜上皮细胞分泌的黏液/碳酸氢盐的保护作用：黏液层能减少胃腔内 H^+ 向黏膜的弥散；黏液内 HCO_3^- 可与返流的 H^+ 发生中和作用，形成 PH 梯度。②上皮的快速生长可更新受损细胞，维持胃黏膜的完整性。③胃黏膜血流（MBF）可提供必需的氧和营养物质，并移去局部组织内的代谢产物和毒性物质，以增强细胞的抵抗力。④胃黏膜内源性细胞保护因子，如某些含有巯基（SH）的化合物通过对生成的自由基的清除作用，参与黏膜局部的防御机制。在应激状态下，胃黏膜保护机制受到破坏，造成急性胃黏膜损伤。

(1) H^+ 的逆扩散。胃的复层上皮是一种将胃腔与组织间质分隔开的黏膜屏障。它是由单层高柱状黏液上皮构成，分泌的中性黏液形成一黏液膜以保护胃黏膜。使胃腔处在两种介质即组织间质（PH7.4）与胃内容物（PH2.0）之间，胃腔内和胃的间质之间保持一明显的 H^+ 浓度梯度。正常情况下，H^+ 的逆扩散保持在正常生理限度内，它取决于黏膜的屏障能力与足以维持代谢需要并能缓冲逆扩散回的 H^+ 所需的血供。即充足的血流，血液中重碳酸盐及碳酸酐酶系统可防止 H^+ 逆扩散。严重创伤时，黏液/碳酸氢盐分泌减少，且由于胃肠功能紊乱，胆汁反流，胆盐对碳酸氢盐分泌具有抑制作用，并间接抑制黏液的合成，从而使黏液/碳酸氢盐屏障破坏。胃黏膜屏障受损，H^+逆扩散即成为病理状态。逆扩散与胃黏膜受损的程度和胃液内H^+浓度密切相关成正比关系。胃黏膜的屏障作用可有内、外因素使之受损：①外源性因素：包括许多化合物如酒精、尿素、皮质类固醇、胆盐、洋地黄、依地酸、特别是阿司匹林等都促使H^+逆扩散。阿司匹林在PH7时是水溶性，不能通过脂蛋白的细胞膜，而在PH2时是脂溶性，能通过并损伤细胞膜，促使H^+逆扩散。Davenport报道，证明水杨酸制剂及胆盐均能使H^+迅速由胃腔进入胃黏膜内，并破坏胃黏膜，导致应激性溃疡。②内源性因素包括有缺血、缺氧。这些因素将减弱细胞中和逆扩散回的H^+的能力。细胞缺氧致使三羧酸循环不完全，细胞膜通透性增加，H^+逆扩散增加。这些因素持续作用下去，将导致组织水肿与间质出血，继之大量血液丧失与血浆渗入胃腔，进一步造成缺血、缺氧，这样形成了一个自身的恶性循环。H^+逆扩散可引起许多病理生理后果，主要的是H^+促使组胺与5-羟色胺释放，组胺与5-羟色胺能直接刺激泌酸细胞分泌更多的酸，尚可使胃蛋白酶分泌增加，这样由于胃液中H^+浓度增加，便进一步促使H^+逆扩散，而又形成了另一个恶性循环。组胺能扩张胃黏膜毛细血管并增加其通透性，而产生黏膜水肿，进一步损伤黏膜屏障，使蛋白质与葡萄糖进入胃腔。随着黏膜损伤的加重，最终结局导致出血。

(2) 胃黏膜上皮细胞增殖减少，黏膜更新缓慢。维持正常胃黏膜屏障极重要因素之一是完整的胃黏膜表面上皮细胞的脱落与更新。当这一平衡失调，即上皮细胞脱落增加和/或更新减少，可使胃黏膜屏障遭到破坏。采用细胞核有丝分裂观察与测定胃液中脱氧核糖核酸含量的方法，检测胃黏膜表面上皮细胞再生与脱落的数量，其结果发现各种应激或给予肾上腺皮质激素，ACTH与尿毒症时，胃黏膜表面上皮细胞数减少。有学者用3H-TdR

掺入法测定了冷束缚应激大鼠胃黏膜有丝分裂的细胞数量，结果发现应激状态下胃黏膜细胞有丝分裂率及标记细胞数量均较正常组明显减少。上皮更新与对照组相比明显缓慢。Ohno 观察到失血性休克 4h 后，胃泌酸腺黏膜 DNA 合成和有丝分裂活动减少。电镜发现，损伤处上皮细胞从表面脱落丢失增加。上述这些因素引起胃黏膜表面上皮细胞更新的变化，可以致使上皮细胞间的粘合处分裂，胃黏膜通透性增加，胃黏膜功能障碍，最终发生应激性溃疡病变。

（3）胃黏膜微循环障碍。胃黏膜正常微循环结构的完整，即微血管内皮细胞和血管基底膜的完整是维持正常血液供应的必要条件，只有血液供应充分，氧和营养物质的补给才有保障，细胞更新速度得以维持，黏膜的完整性得以保全。有人报道，在出血性休克与内毒素休克或其物理应激诱发的应激性溃疡的病理学研究中，发现应激性溃疡与胃黏膜微循环的改变关系密切。应激性溃疡病变与胃黏膜血管收缩痉挛、缺血常并存，多见于胃黏膜缺血区这一部位。Kawarada 报道指出，胃黏膜血管收缩痉挛导致胃黏膜微循环障碍，以致胃血流灌注不足是产生应激性溃疡的重要环节。处于应激状态下，胃黏膜小动脉与毛细血管动脉端收缩痉挛，导致胃黏膜缺血、缺氧，致使黏膜细胞内酸性产物增多，且损伤胃黏膜。结果由于酸中毒导致黏膜细胞内的溶酶体酶释放，破坏溶酶体，胃黏膜上皮细胞损伤并坏死，形成应激性溃疡。在应激状态下，交感神经与迷走神经可引起兴奋，前者导致黏膜血管收缩、痉挛，后者则使黏膜下动静脉短路开放，致使胃黏膜缺血加重。同时，迷走神经兴奋还可引起胰腺消化酶的释放，幽门开放，十二指肠碱性内容物反流至胃腔内，使胃黏膜受损，这也是加重应激性溃疡的重要因素。

（4）氧自由基的损伤作用。在应激状态下胃黏膜可产生大量氧自由基，其机制为胃黏膜中含有丰富的黄嘌呤脱氢酶，在黏膜缺血时黄嘌呤脱氢酶转化为黄嘌呤氧化酶，后者可代谢次黄嘌呤而形成大量的超氧离子。超氧离子还可吸引并激活中性粒细胞，进一步释放超氧离子，导致细胞膜完整性破坏，核酸合成减少，上皮细胞更新减慢及某些巯基化合物减少，出现黏膜损害。急性胃黏膜损害时氧自由基的来源因病因不同而异，缺血-再灌注损伤时主要来自黄嘌呤氧化酶，NSAID引起的胃黏膜损伤时氧自由基的主要来源是白细胞，酒精性胃黏膜损伤时可能来自醛氧化酶。氧自由基损伤胃黏膜的机制有：①与细胞膜内多价不饱和脂肪酸结合，形成脂质过氧化物而破坏细胞内线粒体和溶酶体，造成细胞死亡；②与含巯基的氨基酸结合，使蛋白质和酶失活，破坏上皮间质透明质酸酶和胶原纤维网。

（5）前列腺素等物质的作用。胃黏膜内前列腺素（主要是PGE_2）可维持和促进胃黏液及碳酸氢盐的分泌，改善胃黏膜微循环，抑制胃酸分泌及促进上皮细胞的更新。阿司匹林类药物，由于可抑制环氧化酶而阻断组织内前列腺素的生物合成，从而降低了胃和十二指肠的细胞保护作用，导致黏膜损害。与前列腺素作用相反，血栓素A2、血栓素拟似物及白三烯C4均有增强血管收缩作用，可引起严重黏膜病变。由白细胞、巨噬细胞及上皮细胞合成并释放的血小板活化因子（PAF）在炎症过程及内毒素性休克的发展中起一定作用，可能也参与胃溃疡的发病过程。

（6）神经肽类等物质的作用。消化系统的功能与中枢神经系统之间存在密切联系，某些神经肽类物质能调控胃肠道的分泌与运动功能，有些则可影响胃黏膜的血管舒缩功能，参与应激性溃疡的形成。已知消化道的黏膜下层微动脉具有丰富的神经丛支配，神经纤维内含有多种肽类物质：P物质（SP）、降钙素基因相关肽（CGRP）、血管活性肠肽（VIP）和神经激肽A（NKA）。现已证明胃黏膜辣椒素敏感传入神经元为肽能神经元，受到刺激时可引起神经肽的释放以调节微血管的运动。这些神经递质中以

CGRP扩张血管的作用最强，并中介了胃内酸返流引起的胃充血反应，SP和NKA则无扩张胃血管作用，有证据表明胃黏膜传入信息参与胃黏膜血量的调控及其防御机制。大鼠胃内应用小剂量辣椒素（刺激感觉神经肽释放）可保护幽门结扎、酒精及阿司匹林等造成的胃黏膜损伤，而大剂量辣椒素慢性预处理耗竭神经肽后，则几乎加重各种类型的胃黏膜损伤。近胃动脉注射或消化道应用外源性CGRP可防止或减轻许多表面刺激物的致损伤作用。

(7) 其他因素。如表皮生长因子（EGF）表皮生长因子能刺激黏膜细胞增殖，维持黏膜屏障完整，它主要通过内源性巯基而起作用，另外它还能刺激黏膜单层细胞培养时前列腺素的合成和生长抑素样免疫活性物质的产生。唾液腺含有及分泌EGF，EGF能刺激PGE_2生成，切除唾液腺促进应激的致溃疡作用。EGF和PG可能参与维持黏膜血流、维持胃黏膜完整性。上述机制中任何的环节消失，均可引起黏膜损害和溃疡形成。

综上所述，关于应激性溃疡的发病机制比较复杂，种种因素都不是孤立的作用于胃黏膜，而是综合作用的结果。而且不同的致病因素所致的急性胃黏膜病变其发病机制可能也不尽相同。

(二) 中医病因病机

中医学对上消化道出血早在《内经》中记载：有“血泄”者，血自上出，表现为吐血、呕血；有“血溢”者，血自下渗，而成便血。吐血由《金匮要略·惊悸吐衄下血胸满瘀血病脉证治》中进行了论述，并以柏叶汤、泻心汤作为治疗吐血的方剂，至今应用仍然有效。《诸病源候论》中列有吐血候或呕血候，观察到多种疾病均可导致出血。吐血主要属于胃的病变。胃为水谷之海，多气多血之腑，若因外邪犯胃或胃本虚弱，均可使胃的脉络受损伤，也可由于他脏的影响，导致胃络受损伤而引起吐血。凡血自大便而下为黑粪，或血便夹杂而下，称为便血。其主要病因病机有：

1. 外邪侵袭，热伤营血

因为暑热或风寒化热入里，热伤营血，使气血沸腾，血随胃气上逆而呕血。如《活人书》中："伤寒吐血，由诸阳受邪热，初在表，应发汗而不发汗，热毒入深……故吐血也"。

2. 饮食所伤，热结于胃

因平素嗜食辛辣炙搏之品，而致燥热蕴结于胃，胃火内积，扰动血络而外溢，或因嗜食肥甘等，饮酒过多，以致湿热郁结于胃，胃气失和，湿热郁久化火，灼伤胃络，血随胃气上逆而吐出。如《临证指南医案·吐血》说："酒热伐胃之类，皆能助火动血。"因暴饮暴食，使脾胃升降失司，运化失健，食滞内结，化火伤络，可致吐血。或热蕴于胃，不仅受纳无权，且胃热化火伤络，迫血外溢，血液下渗大肠而便血。如《类证治裁·便血》中："便血由肠胃火伤阴络，血与便下。"

3. 情志内伤，肝火犯胃

郁怒伤肝，或情志抑郁，肝气郁结化火，肝火犯胃，损伤胃络，迫血上行，或素有胃热，又由肝火扰动，气逆血奔而上逆以致吐血。如《素问·举痛论》中："怒则气逆，甚则呕血……"。或因忧思恼怒，情志过极，使肝之疏泄失司，肝气郁滞，久则气滞血瘀，以致肝经脉络血行瘀滞。肝脉郁结，络破血溢，下渗肠道而便血。《血证论·便血》中："盖肝血上干，从浊道则吐，从清道则衄；肝血下渗，从清道则尿血，从浊道则下血。"

4. 劳倦久病，脾气虚弱

劳倦过度，损伤脾胃，或久病脾虚，脾气虚弱不能统血，血液外溢，上逆而吐血。或脾胃素虚饮冷，以致寒郁中宫，脾胃虚寒不能统血，血溢脉外而吐血。《医贯·血症论》中："胃者，守营之血，守而不走，存于胃中，胃气虚不能摄血，故令人呕吐，从喉而出于口也。"久病脾虚，或因劳倦，饮食不节，损伤脾胃，以致脾气虚衰，失于统摄，气不摄血，血无所归，离于脉络，溢入肠道而便血。

此外，若因气滞血瘀，或久病入络，瘀血内阻，血脉阻滞不畅，致血不循经，亦可吐血。便血的部位在胃与肠，主要为火与虚，火盛则迫血妄行，气虚则血无所摄，血液下渗而便血。

（三）病理

1. 肉眼所见　应激性溃疡患者的胃黏膜多数以糜烂为特征，糜烂可小如针尖，大至1cm直径。可偶见累及胃壁之一部或其他部的巨大溃疡病变。有人分别指出糜烂性出血性胃炎的基本损害是糜烂，病变一般呈多发性，常常限于胃体与胃底的泌酸黏膜，炎症反应极轻微。胃窦部通常毫无损害。而急性应激性溃疡主要呈单发，易于穿孔，常发生于十二指肠与碱性胃黏膜。因此，从病理学角度看，急性应激性溃疡与糜烂性出血性胃炎是有区别的。应激性溃疡病变的分布可因发病原因不同而异。由于大手术或严重创伤应激所引起者，病变常在胃大弯侧近端成块状分布，且向胃窦与体部联结处扩展。服用阿司匹林所引起的应激性溃疡，则常见于胃小弯处。相反，大面积烧伤患者发生的应激性溃疡常累及胃的远端，且伴有单个或多个十二指肠溃疡。有的人认为，应激性溃疡最显著的特征之一，是在手术或尸检时发现进展阶段不同的胃黏膜病变，即出血性黏膜坏死阶段之病变，同时并有其他坏死黏膜已经脱落及糜烂已达愈合阶段之病变。

2. 显微镜检查　应激性溃疡的特征性病理表现是黏膜糜烂或溃疡（糜烂是扩展深度不超过黏膜肌层的病变，任何扩展深度超过黏膜肌层的病变则称做溃疡）。显微镜下可明显地看出这种病变是局灶性黏膜出血，从而导致出血性与凝固性坏死。这些出血性坏死病灶以后腐烂脱落，遗留下特征性糜烂或溃疡。在其他处可发现有弥散性黏膜出血、黏膜下水肿与出血，以及黏膜下充血。在黏膜固有层内，在表面上皮以下与胃小凹周围，也可存在黏膜水肿。还常常发现表面上皮缺如，在胃腺颈层水平处，有上皮腐烂脱落。部分病例并发不同程度的慢性胃炎。

三、临床诊断

（一）辨病

1. 临床表现　一般认为急性胃黏膜病变的临床表现与其他原因引起的上消化道出血无多大差别。

（1）上消化道出血：通常都有呕血和黑便，亦有报道呕血多于黑便者，单独黑便者仅占少数（6%）。据一些观察提示，出血的显著特点是呕血后停止和过后易复发而形成间歇性，有时间歇好几天。这和溃疡病的出血——当内科治疗收效时，则出血多完全停止的表现不同。出血的间歇特性可能是由于病变分批出现，一批糜烂即将愈合，新的糜烂又复出现的原故。原先有萎缩性胃炎的病例较明显地具有这种间歇性出血的特征，出血量一般较多。少数病例可无上消化道出血，尤其烧伤患者可多至1/4的病例无出血症状，只表现为脉搏加快和血压下降。

部分应激性溃疡，出血常发生于病的某个时期，如严重烧伤和创伤时，出血常发生在并发败血症的3～5天（可至9天），手术后病例，出血常发生于术后的7～10天。

（2）失血的表现：出血量大或反复发生出血的病例可突发四肢无力、出冷汗、头昏、昏厥、心率快和低血压（休克）等。

（3）局部表现：虽然，本病的特点之一是过去无溃疡病和慢性肝病史，但可多至2/3的病例表现为非特异性胃肠症状，如非节律性上腹部不适、烧灼感、重坠感、食欲减退、上腹压痛等。一般出现于出血前1天至数周。由烧伤或使用肾上腺皮质类固醇所致者可症状隐蔽，甚至突然发生胃肠穿孔。

（4）伴发病：本病较常伴发肝硬变、溃疡病、慢性胃炎。并发危重疾患和多器官损害的急性胃黏膜病变患者，本病的表现常被原有疾病所掩盖。

2．仪器检查

(1) 常规的上胃肠道钡餐检查对应激性溃疡没有实际诊断价值，因为急性胃黏膜病变多很表浅，钡餐检查常不能充分显示，尤其是患者往往由于基础疾患严重，被迫卧床及不能很好合作，更是不能进行理想的放射学检查。

(2) 上消化道内镜检查是明确出血来源的首要手段。在出现上消化道出血的病人，尤其是高度怀疑出血是由于急性胃黏膜糜烂所致而常规治疗不能控制的患者，更应该作内镜检查。目前认为，经冰冻洗胃清血的准备后进行纤维胃镜检查是最满意的诊断方法。但由于胃黏膜出血糜烂性病变愈合快，胃镜检查应在出血开始后的24～48h进行，胃镜检查所见的特征是浅表的病变如糜烂出血、黏膜内瘀斑等，范围为数毫米～1cm，糜烂底部多有出血或被以血痂。

(3) 持续上消化道出血而内镜检查未能明确诊断的患者，应当进行内脏血管造影。在选择性胃左动脉注射造影剂时，通常可能显示出血部位，一旦血管造影显示了出血部位，则应留置导管以便经导管进一步治疗。

(4) 近年来应用放射性核素显像法来发现活动性出血的病例。此法应用静脉注射99m锝胶体后作扫描，以探测标记物从血管外溢的证据。缺点是对出血部位不能确切定位。

(二) 辨证

1．主证及证候鉴别

急性胃黏膜病变的主证为吐血。吐血的辨证要点是分清有火无火，辨别是虚是实。血得热则妄行，故吐血初起大多由热迫血上行，有胃热和肝火之别，但均属实证。吐血量多或日久不愈者，每易由实证转为虚证，而出现中气虚弱、气虚血亏，以致脾肾两虚等虚损证候。亦有出血量多，正气已虚而热邪未清，或脉络瘀滞等虚实夹杂的证候。临床辩证时，应当详察证情，分清虚实，结合病情标本缓急。再确立治则进行治疗。

2. 辨证分型

(1) 热伤营血

证候：发热烦躁，吐血色红，面赤目赤，口干唇红，夜不得卧，大便秘结小便赤热，舌质红绛，脉洪大。

证候分析：突受暑热，或感受风寒化热入里，邪热郁闭气分，故发热面赤目赤。热伤营血，迫血外溢经口吐出，故见吐血色红。热盛伤津则口干唇红、便秘、尿赤。心神被扰，故烦躁夜寐不安。舌质红绛、脉洪大为热势炽盛、津液受伤之象。

(2) 湿热伤胃

证候：脘腹烦闷胀痛，恶心呕吐，吐血色红量多，或紫黯成块，口苦，不思饮食，黑便或便秘，小便色赤，舌红苔黄腻，脉濡数。

证候分析：嗜食肥甘或饮酒过多，助湿生热，湿热蕴结于胃，气机不利，和降失司致脘腹烦闷，甚至胀痛，恶心呕逆；湿热灼伤胃络，迫血上逆，而吐血色红量多；血瘀则紫黯有块；血液下渗肠道则便黑；湿热上蒸则口苦，湿热下注则小便色赤；便秘舌红、苔黄腻、脉濡数为湿热中阻之象。

(3) 肝火犯胃

证候：吐血色红或紫，口苦胁痛，烦躁易怒，寐少梦多，舌质红绛，脉弦数。

证候分析：暴怒伤肝，肝火横逆犯胃，损伤阳络，则吐血色红或带紫；肝胆之火上逆，则口苦胁痛；肝火扰乱心神，则烦躁易怒，寐少梦多；舌质红绛，脉弦数，为肝火上逆耗伤胃阴之象。

(4) 脾胃虚寒

证候：脘腹隐痛，泛吐清水，喜热饮，纳少，吐血淡紫，便溏色黑，形寒畏冷，甚者手足不温，舌质淡，脉软弱。

证候分析：脾胃阳虚，脉络失于温养，且运化迟缓，水饮停胃，故脘腹隐痛，泛吐清水，纳少；寒则喜温故喜热饮；脾虚血失统摄而妄行，上逆则吐血淡紫，下注则便溏色黑；脾主四肢，阳虚失于温煦则形寒畏冷，甚则手足不温；舌淡，脉软弱，为中虚有寒，脾阳不振之象。

（5）气虚血亏

证候：吐血，便血，或鼻齿衄血，皮肤紫斑，面色晃白，头晕，心悸，夜寐不宁，神疲乏力，舌质淡，脉细无力。

证候分析：因失血过多或脾虚生化无力，以致气虚血亏，气虚不能摄血，血无所主而外溢，故吐血、便血、衄血；血虚不能上荣则面色晃白、头晕；血不养心，故心悸、少寐；舌淡、脉细无力，均系气虚血亏之象。

（6）阴虚火旺

症候：胃痛隐隐，吐血量多、色红，面色潮红，盗汗，口渴引饮，烦躁不安，头晕心悸，耳鸣，少寐，大便黑或干黑，舌红少苔，脉细数。

证候分析：热病之后或因气郁化火，津液耗伤，以致胃失濡养，故胃痛隐隐；阴虚火旺，灼伤胃络则吐血色红；津少上承则口渴引饮；虚火扰动则潮热盗汗、耳鸣、少寐、烦躁不安；肠道失润则大便干燥；舌质红，脉细数为阴虚火旺之象。

此外，在各种证型中均可夹杂因气滞血瘀，血脉阻滞，而致脉络受损，血随胃气上逆而吐血的瘀阻胃络之证。

四、治疗

（一）西医治疗

1．内科治疗

（1）输血、补充血容量：因本病病变广泛，且反复出现，侵及血管的机会大。

故出血量常较大，60%以上病例需输血。出血难止的病例应输新鲜血，并作血液凝固性检查，因近年发现本病可发生血小板黏附性障碍，此时只有输入新鲜血和血小板才能有效止血。很明显，低血容量本身可作为新加的应激而加重病情，还可加重原先的胃黏膜缺血，所以应重视准确而及时的输血以恢复血容量。

(2) 冰盐水洗胃：对这种弥漫性胃黏膜出血可能是较有效的。据实验观察，冰盐水可使胃收缩和黏膜血管收缩而止血，并可达到去除胃内积血而便于进行紧急内窥镜检查。据临床使用的结果约85%～90%病例获得成功。以去甲肾上腺素8mg加入生理盐水100ml间歇灌入胃后复抽出。

(3) 停留鼻胃管和有效的吸引：本措施可保持胃内经常缺酸，避免胃扩张，有利于改善胃黏膜血液微循环；还可作为观察止血和治疗效果的手段。但应以温和的手法抽吸为宜，避免因过大的负压持续吸引，创伤了脆性增加的胃黏膜而诱发医源性出血。

(4) 制酸剂与饮食：如出血量少或已停止，可多次有规则地从胃管注入氢氧化铝凝胶或与牛奶、米汤等交替使用，以保证胃内盐酸的持久中和，而促使胃黏膜糜烂的愈合。根据一些观察还可使出血减轻。

(5) 抗胆碱药物（胃肠道外给药）：此类药物因增加胃黏膜下层动—静脉分流，减少黏膜层血流量，抑制胃酸分泌，对止血亦起一定作用。有人认为应激的后期，迷走神经过度兴奋，使胃黏膜下层动—静脉短路强烈收缩，这与继发的黏膜出血、坏死有密切关系，抗胆碱药物亦能起一定作用。

(6) 治疗应激性溃疡药物：根据报道用于治疗应激性溃疡的药物包括有消胆胺、前列腺素 E_2、生长激素、大剂量维生素甲、H_2 受体拮抗剂如甲氰咪胍等。新一代胃酸分泌抑制剂奥美拉唑(omeprazole)通过抑制胃酸分泌的最终步骤——H^+-K^+-ATP

酶而产生强力的剂量依赖的胃酸分泌抑制，从而显著地提高胃内的 PH，止血效果明显，用 40mg 静脉推注，每天 1 次。善得定（奥曲肽 octreotide）是一种人工合成的八肽环化合物，它保留了天然的生长抑素的药理学活性。能够抑制生长激素和胃肠胰内分泌激素的病理性分泌过多，从而起到治疗作用。用法：0.1mg q8h 皮下注射。

（7）积极消除应激因素：包括控制原发病，如有感染、败血症时应给予相应的抗菌素，停用引起应激性溃疡的药物，纠正缺氧等。

2. 经血管的治疗方法

血管治疗方法包括血管内灌注加压素和经导管动脉栓塞，对于常规方法治疗后上消化道出血不能控制的患者可考虑采用血管治疗方法。经腹腔或胃左动脉以每分钟 0.2～0.4U 加压素持续滴注 48～72h，在停药前逐渐减量。研究表明经动脉滴注加压素治疗，上消化道出血患者 80% 出血得到控制，67% 患者出血完全停止。这种方法在有心肌缺血和高血压病患者要慎重使用。

经导管动脉栓塞治疗，通常将自身血凝块经导管通路栓塞出血动脉或加用氧化纤维素、氨基乙酸、凝血酶及明胶海绵等。这种方法一般适合于含有一个较大动脉供血部位的出血，由于胃黏膜下血管丛非常广泛，没有一个胃动脉是终动脉，因此尽管有用这种方法能成功地控制上消化道出血的报道，但很少用于急性胃黏膜溃疡出血的患者。

3. 内镜治疗

通过内镜治疗上消化道出血的技术包括单、双极电灼法和激光凝固法。近来这些方法在实验动物溃疡出血模型的治疗及临床应用均获得了较好的效果，但对在急性胃黏膜糜烂出血的患者中临床应用的确实疗效和安全性尚需作进一步的研究。

4. 手术治疗

部分病例，主要是应激性溃疡出血者，经上述治疗仍不能控制出血，一般认为反复大出血达8h以上应考虑手术治疗，对于这种病例，如不及时手术则病死率极高。手术治疗的效果亦有欠满意之处，主要是术后残胃再出血。过去采用胃次全切除治疗，手术后再出血的高达50%。因此，有些人提出了全胃切除术的作法。近年来又提出了迷走神经切断术加85%的胃大部分切除术或幽门成形术治疗，认为止血效果满意。经研究发现迷走神经切断术对出血有效的原因，是由于使黏膜血管收缩和动、静脉分流开放带来胃黏膜层血流减少，而不是减少胃酸分泌，因此，它的作用也是暂时的，术后再出血的亦屡有报告。总的说，目前认为手术治疗应根据具体病情而进行选择性迷走神经切断术、幽门成形术、出血点缝合术或近全胃切除术等几种手术式灵活配合。病情越严重，选择的术式应越彻底。

（二）中医中药治疗

1. 治疗原则

吐血一证，病情较急，尤其是出血多者，往往危及生命。所以根据证候的不同，审证求因，辨证施治，具有十分重要的意义，正如唐容川《血证论·吐血》强调说："存得一分血，便保得一分命。"针对其主要病机，吐血的治疗以清火降逆、凉血止血、活血化瘀、益气摄血为主要治则。

2. 治法方药

(1) 热伤营血

治法：清热解毒，凉血止血。

方药：犀角地黄汤加味。方中犀角清热凉血解毒；地黄养阴清热、凉血止血；芍药和营泄热；丹皮泻血中伏热，凉血散瘀。并可加四生丸以加强凉血止血作用。如高热神昏，加紫雪丹，或至宝丹。

(2) 湿热伤胃

治法：清热化湿，凉血止血。

方药：枳实导滞丸合四生丸。方中枳实消痞导滞；大黄清热导滞；黄连、黄芩清热利湿；茯苓、泽泻渗利湿热；白术健脾燥湿；神曲消食和中；四生丸凉血止血。饮酒过多，积热动血者用葛黄丸泻火止血。

(3) 肝火犯胃

治法：泻肝清胃，凉血止血。

方药：龙胆泻肝汤加减。方中龙胆草泻肝经实火；黄芩、栀子泻火止血；丹皮、生地凉血止血。本证亦可用泻心汤加栀子、丹皮、黄芩。如吐血不止，兼胸脘满闷，口渴不欲饮者为有瘀血，可合花蕊石散加三七末调服以化瘀止血。

(4) 脾胃虚寒

治法：温阳健脾，养血止血。

方药：黄土汤加减。方中灶心土温中和胃止血；白术、附子温阳健脾；阿胶、地黄滋阴养血止血；佐以黄芩苦寒坚阴，甘草甘缓调中。加炮姜温阳止血，白及粉收敛止血。本证亦可用附子理中汤加减。如出血不止有瘀血加三七、花蕊石化瘀止血。

(5) 气虚血亏

治法；健脾益气，补气摄血。

方药：归脾汤加味。方中参、苓、术、草健脾益气；黄芪、当归益气生血；龙眼肉、枣仁、远志补血养心；木香理气醒脾。加炮姜温阳止血，阿胶养血止血。如吐血量多，面色青白，心慌气短，汗出肢冷，舌质淡，脉细数无力，为气随血脱重症，急用独参汤益气固脱，或参附汤益气回阳固脱，并加三七粉、云南白药，阿胶等止血。

(6) 阴虚火旺

治法：滋阴清热，凉血止血。

方药：玉女煎加味。方中石膏、知母清胃热；地黄滋肾阴；

麦冬清热养阴；牛膝导热下行，助降上炎之火又止上溢之血。酌加丹皮、侧柏叶、茅根、旱莲草、藕节、紫珠草以凉血止血。兼气虚者加党参，或合生脉散。

五、预防

（一）因应激性溃疡患者多是危重疾病，受严重创伤，或手术后者，故密切观察病情，加强护理，全身支持疗法（如纠正低血容量、低血压、缺氧、感染等）十分重要。应尽量避免休克的发生，以减轻或预防应激状态加剧。

（二）降低胃内酸度的药物有

1. 抗酸剂　通常以鼻胃管注入抗酸剂（氢氧化铝与氢氧化镁凝胶混合剂）每小时 30～60ml，使胃内容 PH 保持在 3.5 以上，可获得较好的预防效果。

2. H_2 受体拮抗剂　研究表明雷尼替丁在提高胃液 PH 方面具有比西咪替丁更好的效果，方法是首次静脉注射 50mg，然后以每小时 12.5mg 的剂量静脉滴注。

3. 硫糖铝　硫糖铝为硫酸蔗糖的铝盐，其预防危重病人的出血疗效与抗酸剂相似。接受呼吸机治疗的患者给予硫糖铝，其肺炎的发生、病残与死亡率均较用 H_2 受体拮抗剂为低。方法为 1g 硫糖铝加入 30ml 生理盐水中，每 4h 经鼻胃管灌注 1 次。

4. 要素饮食　研究表明，持续胃内灌以要素饮食可以明显地中和 H^+，使胃 PH≥3.5，同时可供给足够的营养，对应激性胃黏膜糜烂出血有较好的预防效果。

5. 质子泵抑制剂　奥美拉唑在预防应激性胃黏膜出血可能比 H_2 受体拮抗剂有更好的疗效，可用 40mg 静脉推注，每天 1 次。或 20mg 口服，每天 1 次。

六、中西医结合研究进展

(一) 病因病机

Konturek 报道，对人类在阿司匹林（ASA）诱致的急性胃损伤期间检查胃黏膜血流和血小板/中性粒细胞黏附性以探索其发病机理。作者观察到 ASA 可损害胃黏膜，大大增加胃黏膜出血量，且与 ASA 剂量有关。已有研究表明 ASA 可导致胃黏膜血流减少，但本研究受试者在服用关节炎治疗剂量的 ASA 3 天后虽可见胃黏膜受损，但胃角及胃窦的黏膜血流却明显增加。这种现象可能是 ASA 早期黏膜损害所诱发的一种代偿反应——血流增加、上皮细胞增殖，也可能与一氧化氮的生物活性有关。血小板对中性粒细胞，对上皮细胞的黏附作用都是由选择素 - P 选择性介导的。中性粒细胞在许多实验性损伤模型中发挥作用。本实验测定循环血中血小板对中性粒细胞的黏附性，结果表明 ASA 可激活中性粒细胞增加选择素 P 介导的血小板/中性粒细胞黏附性，因而推测内镜下所见的黏膜损害可能是被 ASA 所激活的中性粒细胞向组织移动的结果。认为，在人类，中性粒细胞与 ASA 所致的早期胃黏膜损害有关。

李兆申等应用激光多普勒血流计检测了阿司匹林损伤大鼠胃黏膜过程中胃黏膜血流量（GMBF）的变化，同时检测了胃黏膜电位差（PD）。结果表明大鼠在用阿司匹林溶液灌胃后，能引起胃黏膜微循环障碍，上皮细胞受损，黏膜结构的完整性被破坏，故随着 GMBF 的降低，PD 也随之降低，而黏膜损伤指数则渐升高。引起胃黏膜微循环障碍的直接原因是前列腺素的合成减少，所以，若预先给前列腺素 E_2 则可预防黏膜损伤。

一氧化氮（NO）是由 L 精氨酸在 NO 合成酶的催化下产生的具有扩张血管、调节免疫应答、作为神经递质等作用的多功能介质分子。近年来的研究证明，它也是一种重要的胃黏膜保护因子。MacNaughton 等首先发现 NO 对酒精引起的胃黏膜损伤具有保护作用。业已证明：①胃黏膜具有较高水平的 NO 合成酶活性；②应用小剂量 NO 供体以提供外源性 NO，可以减轻或预防许多实验性急性胃黏膜病变，并加速乙酸诱发的大鼠慢性胃溃疡的愈合；③抑制内源性 NO 的生成则加重胃黏膜损伤，所用的模型包括缺血－再灌注、应激、酒精、血小板激活因子等；④适应性细胞保护作用和许多药物如硫糖铝、抗酸剂等的胃保护作用可能通过 NO 介导，阻断 NO 生成可部分消除其保护作用。NO 胃保护作用的机制主要与其增加胃黏膜血流有关。Ogle 等研究了内源性 NO 对冷束缚造成的大鼠应激性溃疡的影响，发现以 L－NAME 阻断内源性 NO 可明显加重胃黏膜损伤。

侯晓华等通过 NO 的前体 L－精氨酸（L－Arg）和抑制剂 L－NAME 对鼠胃黏膜保护作用的研究，来阐明 NO 在胃黏膜保护中的可能机制。研究证实，外源性给予 L－Arg 可以明显增加 NO 含量，而抑制 NO 合成酶活性后 NO 含量明显下降，表明 L－Arg 保护胃黏膜、L－NAME 增加胃黏膜损伤是通过改变胃黏膜局部 NO 水平来实现的。L－Arg 可增加胃黏膜 NO、氨基已糖含量，增加胃黏膜血流。

其他有关胃黏膜保护及损伤因子的研究亦有较多报道。如巯基物质：是指在化学结构上含有 SH－基团的一类化合物，分为非蛋白质结合巯基（NPSH）和蛋白质巯基（PSH）。前者主要为还原型谷胱甘肽（GSH），后者主要是指蛋白质肽链上半胱胺酸和胱胺酸残基。已有报道大鼠胃黏膜内富含 NPSH，其中 95% 以上为还原型谷胱甘肽，且泌酸区含量最高。预先给予外源性 SH 物质，可显著减轻消炎痛、酒精等引起的急性胃黏膜损伤，而预先给予 GSH 耗竭剂 DEM 则可诱发或加重胃黏膜损伤。目前，已基本肯定 NPSH 与前列腺素等是胃黏膜局部重要的内源性保护因子。关于巯基物质的胃黏膜保护作用一般认为主要在于清除受损黏膜局部代谢过程中产生的氧自由基。

脑肠肽：胃肠道中存在着的二、三十种脑肠肽，可通过内分泌、旁分泌、神经分泌等方式作用于消化器官。现已证明对实验性应激性胃黏膜损伤大鼠有保护作用的因子有神经降压素(NT)、蛙皮素（Bombesin)、内源性鸦片肽、生长抑素（SS)、降钙素（Calcitonin）和降钙素基因相关肽（CGRP)。有人利用缺血再灌注、消炎痛、乙醇、强酸和强碱等多种损伤因素诱发的急性胃黏膜损伤大鼠模型，以及用半胱胺诱发的大鼠十二指肠溃疡模型，研究了胰多肽（PP)、SS、CGRP、NPY（神经肽 Y)和上皮生长因子（EGF）等多种脑肠肽的保护作用，发现 SS 可增加细胞对自由基的清除能力，维持细胞内巯基的稳态，并与 PGs 一起中介了胃黏膜的适应性细胞保护作用。中枢注射的神经降压素可保护冷－束缚应激大鼠，该作用与胃酸分泌的抑制无关，但需有前列腺素的介导。CGRP 可抑制脂过氧化反应和胃酸、胃蛋白酶的分泌，还可刺激 SS 的释放。有多种实验结果提示除前列腺素外，脑肠肽可能作为第二类细胞保护因子。

神经系统：张建福等报道室旁核（PVN）是应激性胃黏膜损伤的中枢部位之一。有报道在迷走背动力核（DMN)、迷走复合体（DVC）内注射促甲状腺释放激素（TRH）可激活迷走神经调节的 M 受体，通过 PG 和 NO 介导的 MBF 增加起到保护作用。

（二）中药的胃黏膜保护作用

1. 中药复方的细胞保护作用

已报道许多中药复方经动物药效实验和临床验证具有较强的细胞保护作用

和促进溃疡愈合作用。王汝俊报道补中益气汤可防止无水乙醇、强酸、强碱和消炎痛造成的大鼠急性胃黏膜损伤，其作用与提高胃壁结合黏液含量和促进 PGs 合成有关。Takase 等研究了黄连解毒汤及其构成药物对乙醇引起的胃黏膜损伤的保护作用，高濑英树等发现它可通过黄连、黄柏与内源性 SH 化合物的相互作用，使胃黏膜屏障的抵抗力增强而发挥作用。黄启荣等提纯出其活性成份小檗碱和黄连碱。陈永详等发现一贯煎煎剂对四种实验性胃溃疡（慢性醋酸型、消炎痛、利血平和幽门结扎型）均有明显的保护作用。其他方剂有曹西华等报道沙参麦冬汤对大鼠乙醇和消炎痛引起的胃黏膜损伤具有明显的保护作用。洪樱等报道小柴胡汤、香砂六君子汤预先给大鼠灌胃可防止 0.2NaOH 所致的胃黏膜损伤。有报道加味左金丸对阿司匹林、氢氧化钠、盐酸、乙醇所致的胃黏膜损伤均有明显的保护作用。高氏认为四逆汤对缺血再灌注引起的胃黏膜损伤的抑制作用与抗氧化反应有关。刘宝臣等采用健脾益气中药组成的“胃黏膜保护方”可预防乙醇、强酸、强碱造成的胃黏膜出血性损伤，其作用机制是增加黏膜表面的黏液凝胶，维持正常的 MBF。鄢顺琴等观察到胃痛灵口服液对无水乙醇、0.6HCl、0.2NaOH 诱发的胃黏膜损伤大鼠有明显的保护作用，并用免疫组化技术显示胃痛灵不仅能促进溃疡愈合，还能提高溃疡愈合质量，有助于防止胃溃疡的复发和癌变。王桢芩等报道猴头健胃灵可减轻急性胃黏膜损伤，促进冰醋酸性溃疡愈合。朱柏华等报道四方胃片水提液对大鼠应激性和幽门结扎性胃溃疡有明显的保护作用。胃宁胶囊对多种类型胃溃疡均有明显的保护作用，并具有促进溃疡愈合、抑制胃酸分泌、拮抗肠痉挛和明显的抗炎作用。

2. 单味中药及其有效成份的细胞保护作用

在单味中药及其有效成份的细胞保护作用的研究报道中，刘良等证实党参煎剂可防止无水乙醇、强酸、强碱引起的胃黏膜损伤，并进一步研究表明其有效部位为党参酒提取物水溶部分中不溶于乙酸乙酯、正丁醇的部位。韩朴生等报道党参正丁醇提取物对大鼠应激性、幽门结扎型、消炎痛型实验性胃溃疡均有明显的抑制作用。黄玲等发现健脾、清热、化瘀治法的代表中药党参、蒲公英、川芎单味中药均可对抗无水乙醇性胃黏膜损伤，强度为党参＞川芎＞蒲公英，配伍给药未发现增强作用，复方则可明显提高正常和无水乙醇损伤的胃黏膜内 PGE_2 含量和正常大鼠的胃壁结合黏液含量。王立冬等发现大黄水浸煎剂能有效地防止乙醇和消炎痛造成的胃黏膜损伤，预先给予小剂量消炎痛可取消大黄提高胃黏膜内 PGE_2 含量的效应，却不能取消大黄对乙醇所致的胃黏膜损伤的保护作用，可能这一作用并非由 PGE_2 介导。徐萍等证实大黄提取液能促进冰醋酸所致胃溃疡的愈合，并增加胃黏膜血流量。黄梅芬等报道，丹参水溶液能抵抗乙醇所致的急性胃黏膜损伤。丹参能增加胃壁结合黏液量，改善胃黏膜血供、抑制脂质过氧化反应，即增强胃黏膜的自身保护因素及削弱损害因子。李庆明等的研究表明，传统的活血化瘀中药五灵脂及其有效成分对幽门结扎大鼠及利血平所致急性胃黏膜损伤模型有明显抗溃疡与保护胃黏膜的作用。并通过实验研究证实其作用机理：①对幽门结扎大鼠的胃酸分泌有抑制作用；②对苯福林引起的大鼠离体血管环收缩反应有抑制作用；③对 Ach 引起的大鼠离体胃平滑肌收缩反应有抑制作用；④对培养乳鼠胃黏膜细胞有阻止细胞 Ca^{2+} 内流的作用。

（李庆明．中西医结合消化病学．人民卫生出版社，2003）

急性上消化道出血治疗进展

一、临床表现

（一）上消化道出血、呕血或黑便。

（二）失血表现：头晕、昏厥、冷汗、四肢无力、心率快、低血压病等。出血量在 400ml 以内，可无症状；＞400ml，头晕、心慌、冷汗、口干；＞1000ml，晕厥，脉快而弱（100～120 次/min），脉压缩小。

（三）伴发病：常伴发于肝硬化、溃疡病、慢性胃炎、危重疾病和多器官损害。

（四）检查：内镜检查，出血后 24～48h 内进行；同位素显像法－TC99。

二、治疗

（一）非食管、胃底静脉曲张出血的治疗

1. 有效控制胃酸　胃内 PH＞6，血小板聚集和血液凝固才能完成，Losec40 mg iv qd 或 q12h（pantoloc 40mg iv）。

2. 制酸剂与饮食，出血量少或已停止，可从胃管注入氢氧化铝凝胶或与牛奶、米汤等交替使用。

3. 冰盐水洗胃，可使胃黏膜血管收缩。

4. 去甲肾上腺素 8mg 或凝血酶 2000u＋冰生理盐水 100ml 间歇灌胃后抽出，每小时 1 次，重复 3－4 次仍无效者则停用。

5. 云南白药 1g qid 或三七粉 3g qid。

6. 停留鼻胃管有效的吸引。

7. 必要时输血、补充血容量（Hg＜9g、收缩压＜90、P＞

100)。

8.积极消除应激因素、控制原发病、纠正缺氧、停用应激溃疡的药物。

9.其他：血管内灌注加压素、经导管动脉栓塞治疗、内镜电灼法和激光凝固法，或内镜下药物喷洒法（去甲肾上腺素溶液、孟氏溶液、凝血酶等)。

10.手术治疗——持续大出血经内科积极治疗24h，出血不止者或出血停止，48h内又复发者。

11.中医中药：

①热伤营血

清热解毒、凉血止血

犀角地黄汤加味——犀角、地黄、白芍、丹皮

②湿热伤胃

清热化湿、凉血止血

枳实导滞合四生丸——枳实、大黄、黄连、黄芩、茯苓、泽泻、白术、神曲

③肝火犯胃

泻肝清胃、凉血止血

龙胆泻肝汤加减——龙胆草、黄芩、栀子、丹皮、生地、田七

④脾胃虚寒

温阳健脾、养血止血

黄土汤加减——灶心土、白术、附子、阿胶、地黄、炮姜、白及、黄芩、甘草

⑤气虚血亏

健脾益气、补血摄血

归脾汤加味——人参、白术、茯苓、黄芪、当归、元肉、枣仁、远志、木香、甘草

⑥阴虚火旺

滋阴清热、凉血止血

玉女煎加味——石膏、知母、地黄、麦冬、牛膝、丹皮、侧柏叶

（二）食管胃底静脉曲张出血的治疗

1. 双气囊三腔压迫止血

囊压力宜 6.67kpa（50mmHg），食管压力宜 4～5.33kpa（30～40mmHg），加压可维持 12～24h，以后每 4～6h 放气 1 次，以观察出血情况，每次放气 5～30min，然后再注气，待止血 24h 后，放尽气囊内气体，观察 1－2h，若仍无出血即可拔管，拔管前先服液体石蜡 20ml。

2. 药物治疗

（1）垂体加压素

用垂体加压素 75u 加入 G.S500ml ivdrip，速度为 0.2～0.3u/min，止血后改为 0.1～0.2U/min，维持 8～12h 后停药。副作用可有腹痛、腹泻等或胸前不适，可用硝酸甘油 1 片，舌下含服，每 1～2h 一次。

（2）特利加压素（三甘氨酰－赖氨酸－加压素）

为长效加压素，几乎无心、脑血管的副作用，每次 1～2mg iv 每 6h 1 次。

（3）生长抑素及其衍生物

施他宁（人工合成的 14 肽生长抑素）首剂 250ug + NS30ml iv，继以 250ug/h ivdrip，维持 24～48h，止血率 70%～90%。善得定（奥曲肽，是生长抑素类似物，8 肽），首剂 100ug + NS30ml，继以 25ug/h ivdrip 维持 36～48h。其作用机制主要是抑制胰高血糖素分泌，减少门静脉侧支循环及奇静脉血流的作用比降低门脉压更显著。

SS.OC.PN 治疗急性静脉曲张出血疗效对比研究

用药后	24h	48h	72h 止血率(%)	不良反应(%)
SS	80.9	86.8	89.7	7.4
OC	75.3	80.8	84.9	8.2
PN	51.8	59.0	65.1	41.0

结论：SS、OC 止血率明显高于 PN 组，不良反应明显少于 PN 组 zhang 等(2002)

3. 内镜治疗

①内镜下曲张静脉圈套术；

②硬化剂治疗，用 1% 乙氧硬化醇注射于血管内，止血率 75%～94%；

③内镜下金属夹止血治疗，对出血性曲张静脉双侧作钳夹结扎；

④组织粘合剂栓塞疗法：组织粘合剂是一种快速固体化的水样物质，与血液接触后，几乎即时产生聚合和硬化，有效的闭塞血管和控制曲张静脉出血，国内刚开展此项技术，止血率 100%，再出血率约 6%。

4. 经皮经肝栓塞术 选择性将导管插入胃左静脉或胃短静脉，注入栓塞剂，如高渗葡萄糖，无水乙醇或海绵等，切断曲张静脉的血流。

5. 经颈静脉肝内门 - 体分流术 经药物和内镜治疗无效，仍继续出血者预后差，病死率高达 90%，根据患者肝功能情况可采用此方法。

6. 外科手术

（钟 娃，李庆明）

急性肠缺血综合征辨治1例

男，53岁，干部。因腹痛、腹胀伴发热10多天，诊断为完全性肠梗阻于1989年7月30日入外科住院。入院后第8天因症状加重，腹透示肠内积气，拟不完全肠梗阻。即作剖腹探查术，术中见部分空肠缺血坏死，肠系膜静脉血栓形成。切除坏死空肠120cm，空肠端端吻合。切除肠段病理切片检查报告；肠系膜脂肪组织慢性炎症，并见血管增生，充血，部分静脉分枝内血栓形成，小肠壁严重充血水肿，以黏膜下层最为明显，并见较多中性白细胞浸润。但术后月余仍反复腹胀、腹痛，每日泄泻3～4次稀便，双下肢皮肤出现紫斑和静脉炎。外科以肠缺血综合征处理，用潘生丁，血栓通治疗，其症仍时有发作。乃于9月12日转中医科住院。其时，精神萎靡，目睛无神，面色苍白，形体羸瘦。体温36.5℃，血压12/9 kPa，皮肤、巩膜不黄，心肺无异常发现。腹稍膨隆，腹部疤痕愈合良好，脐周轻压缩，全腹未扪及包块，肝脾未触及。实验室检查：血红蛋白111g/L，红细胞3.53×10^{12}/L，白细胞4.7×10^{9}/L。大便培养无病原菌生长。大便潜血阳性。硫酸锌浊度7单位，牛心胆固醇试验阴性，谷丙转氨酶正常。结肠钡剂灌肠无异常发现。腹部B超：肝区弥漫性肝病、少量腹水、未排除有肝硬化改变。腹部CT检查：肝硬化合并少量腹水。察其舌淡红、苔白浊、脉沉细。中医辨证为湿浊内阻，投平胃散加减。腹痛、腹胀依然，洞泄不堵，每日2－3次，多则十几次，清稀如注。腹胀甚则呕，少则数百毫升，多则半脸盆（约3000ml），为浅绿色液体。同道再作脾虚不运，气机阻滞论治，易以补中益气汤加厚朴、台乌、益智仁、砂仁。服

3剂，腹痛、胀加剧。后经揣度、百思始悟，初投平胃散不应，再用补脾理气更剧，药不对证也。乃改弦易辙，宗叶天士温通之法，以辛温开泄：桂枝5g，白芍15g，干姜5g，厚朴10g、郁金15g、北杏15g、杷叶15g、党参15g。同时给维生素B_1双足三里穴位注射。进3剂后，腹痛、腹胀大减。前法合度，守方再进，连服27剂，诸症消除康复出院。大便每日1～2次，质软，胃纳增，精神振。复查血象：血红蛋白130g/L，红细胞4.01×10^{12}/L，白细胞6.7×10^{9}/L。出院后仍守方调治半月，随访半年，症无再发。

讨论

肠系膜静脉血栓形成，可见于高凝状态，红细胞增多，门静脉血流郁滞、肿瘤浸润，脓毒感染，外伤、口服避孕剂和肾移植后，有时无任何显见原因。可能突然出现，有如急性肠梗阻，有时亦可历时较长达2周左右，伴有腹部隐约不适。查体无何特殊。本例肠系膜静脉血栓形成，病因可能与肝硬化有关，由于门静脉血流郁滞所致，但手术后，不完全肠梗阻表现一直存在。虽经西药潘生丁，血栓通等治疗，诸恙不愈，后用中医中药竟获全功。

《医学传真》指出："夫通则不痛、理也、但通之之法，各有不同。调气以和血，调血以和气，通也。……虚者助之使通，寒者温之使通，无非通之之法也。"《素问·举痛论》云："寒气客于小肠膜原之间，络血之中，血流不得注于大经（大血管）血气稽留不得行。"同书《调经论》又说："气血者，喜温而恶寒，寒则泣不能流，温则消而去之。"清代名医叶天士善用温通之法，温者意在温阳，通者重于祛邪。按叶氏医案载方投以辛温开泄、桂枝、干姜辛温助阳，合党参益气升阳，芍药敛阴，使阳生阴长，郁金行气理血，厚朴、北杏、杷叶取其开肺降胃气。药能中的，泄泻逐停，诸症悉除。辨证论治为中医学精髓，临证之际总需审量度势，随证而处。本案初投去湿，后又进补是为实实。终于抓住病机寒气客于小肠膜原之间，脾阳受伤而气滞血泣，投辛温之剂，药证合拍，故收桴鼓之效。

（李庆明，邓宇飞．广东医学，1992；13〈3〉：160）

脾气虚证壁细胞线粒体，G细胞分泌颗粒与血清胃泌素，胃黏膜SOD、MDA的变化

提要 对脾气虚证及肝胃不和证的慢性胃病患者23例，进行了胃黏膜超微结构研究，胃黏膜超氧化物歧化酶（SOD）活性、丙二醛（MDA）含量的检测，以及餐后血清胃泌素测定。结果显示：脾气虚患者其壁细胞单位面积的线粒体数目，主细胞酶原颗粒，G细胞的分泌颗粒，以及餐后血清胃泌素比值均明显低于肝胃不和组（$P<0.01$）。提示脾气虚患者胃蛋白酶储备不足，G细胞分泌能力差，分泌功能低下。同时，线粒体的结构亦有明显损伤，认为线粒体质和量的改变，可能是脾气虚证的病理形态改变的主要环节。此外，脾气虚证患者的胃黏膜MDA含量高于肝胃不和及正常人（$P<0.05$），而胃黏膜SOD活性则低于肝胃不和及正常人（$P<0.05$），提示脾气虚证的发病过程可能有氧自由基参与。

近20年来，脾气虚证的研究已取得很大的进展，但有关脾气虚证壁细胞线粒体，G细胞分泌颗粒与血清胃泌素，胃黏膜超氧化物歧化酶（SOD）、丙二醛（MDA）的变化，国内尚未见报道。本文就这方面的研究作了初步探讨，现将结果报告如下：

一、材料和方法

(一) 病例选择及中医辨证标准

表1 两组性别、年龄、病种分布

	n	男(例)	女(例)	平均年龄(岁)	慢性浅表胃炎(例)	慢性浅表萎缩胃炎(例)	十二指肠溃疡(例)
脾气虚组	13	5	8	45.7	7	5	1
肝胃不和	10	4	6	39.9	6	3	1

全部病例均通过专人作纤维胃镜检查，并经胃黏膜活检分别作病理及电镜观察。中医辨证标准，参照1986年全国中西医结合虚证与老年病研究专业委员会修订的虚证辨证标准。其中脾气虚证13例，肝胃不和10例。两组性别、年龄及病种分布（见表1）。

(二) 取材方法与部位

常规进镜，进镜后看准胃角，在小弯侧胃角下4cm及胃角上10cm处各取胃黏膜组织2块，分别放入2瓶预冷的戊二醛固定液中，制作电镜标本。另取胃窦黏膜（位置同上）2块，置于干净的生理盐水瓶中作SOD活性及MDA含量的测定。

(三) 胃黏膜SOD、MDA测定方法

胃黏膜SOD活性测定参照海军抗衰老中心SOD测定药盒。胃黏膜MDA含量测定采用TBA法。

(四) 空腹及餐后血清胃泌素测定

采用放射免疫法检测，药盒由北京原子能研究所提供

(五) 电镜观察

以日立H-600透射电镜及日立S-450型扫描电镜下观察。

(六) 电镜拍片、计算

采用单盲法拍片，对每例的壁细胞、主细胞、G细胞随机拍

摄照片各3张。分别计算出壁细胞线粒体、主细胞酶原颗粒、G细胞分泌颗粒的面数密度。

（七）统计学处理

实验数据以t检验方法进行。

二、结果

（一）扫描电镜观察结果

1. 脾气虚证　上皮细胞表面的微绒毛变稀疏，有的微绒毛脱落。上皮细胞间隙增大。多数胃小凹大小不等、形状不一、排列紊乱。表面粗糙、高低不平，并可见2个胃小凹融合于1个小窝之中（图1）。

2. 肝胃不和　上皮细胞表面有许多短粗的微绒毛，表面上皮形态相仿，呈砌石状。胃上凹无明显的变形，仍呈蜂窝状排列。但可见部分上皮细胞表面糜烂、脱落、呈不规则形缺损（图2）。

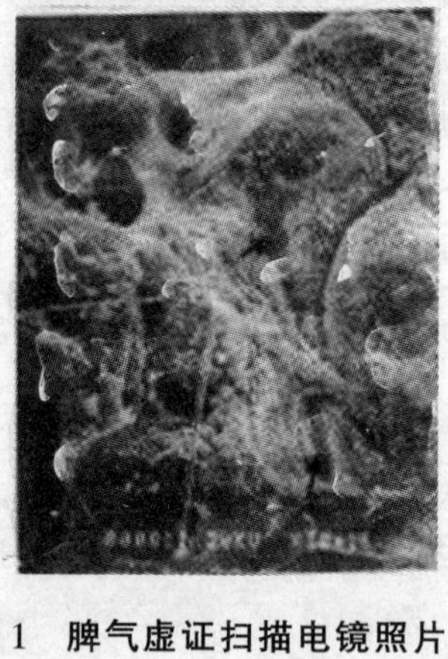

图1　脾气虚证扫描电镜照片×300形状不一，排列紊乱（↑）。

图2　肝胃不和扫描电镜照片×300见多数胃小凹大小不等，部分上皮细胞表面糜烂、脱落，呈不规则形缺损（↑）。

（二）透射电镜观察结果

1．脾气虚证　上皮细胞间隙疏松，见胞质内有多量的脂滴。本组 13 例，有 4 例未发现壁细胞。壁细胞内线粒体的结构有明显损伤。主要表现为线粒体肿胀，膜缺损。嵴的方向不规则，嵴断裂，基质内出现多个亮区或全部变空。少数可见纵向嵴（图 3）。

2．肝胃不和　上皮细胞间隙内，可见白细胞及淋巴细胞浸润。本组 10 例均发现壁细胞，壁细胞内线粒体膜完整，嵴致密，方向规则（图 4）。

图3　脾气虚证透射电镜照片×10,000线粒体肿胀膜缺损(△)。嵴断裂,基质内出现多个亮区(↑)。

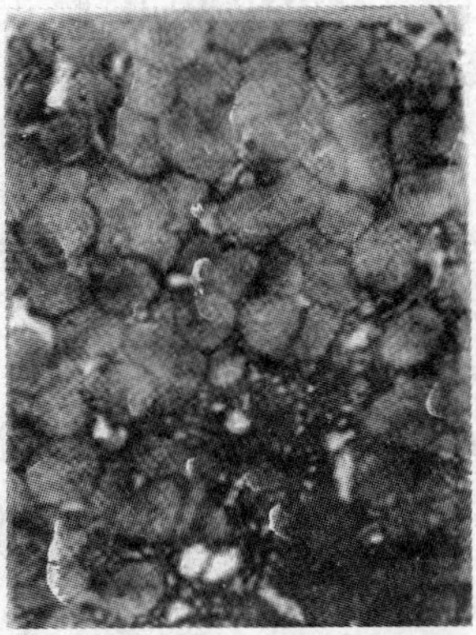

图4　肝胃不和透射电镜照片×10,000 线粒体肿胀，膜完整，嵴致密，方向规则

3．胃黏膜 3 种细胞成分的面数密度　各组壁细胞线粒体、主细胞酶原颗粒、G 细胞分泌颗粒的面数密度，结果表明：脾气虚患者均明显低于肝胃不和及正常人，差异有高度显著性（$P<0.001$）见表 2。

表 2 胃黏膜 3 种细胞成份的面数密度（$\bar{x} \pm s$）个/100μm^2

组别	n	壁细胞线粒体	主细胞酶原颗粒	G 细胞分泌颗粒
脾气虚	13	71.8±12.7	22.2±7.6	10.9±9.4[1)]
肝胃不和	10	103.2±17.8	41.1±10.4	34.5±3.4
正常人	3	95.5±14.8	35.5±7.2	35.8±4.0

1) 与肝胃不和及正常人比较 $P<0.001$

4. 各组餐后血清胃泌素比值 （餐后血清胃泌素/空腹血清胃泌素）及胃黏膜 SOD 活性、MDA 水平，结果显示：脾气虚患者餐后血清胃泌素比值均明显低于肝胃不和及正常人，差异有高度显著性（$P<0.01$）；脾气虚患者胃黏膜 MDA 含量高于肝胃不和及正常人，差异有显著性（$P<0.05$）；而胃黏膜 SOD 活性则低于肝胃不和及正常人，差异有显著性（$P<0.05$）见表 3。

表 3 各组胃泌素、SOD、MDA 含量（$\bar{x} \pm s$）

组别	n	血清胃泌素比值	胃黏膜 SOD（u/g）	胃黏膜 MDA（nmol/g）
脾气虚	13	0.95±0.14[1)]	101.3±2.9[2)]	490.1±95.0[2)]
肝胃不和	10	1.39±0.48[3)]	132.9±23.6[3)]	391.6±57.9[3)]
正常人	20	1.19±0.24	134.4±14.4	333.3±15.2

1) 与肝胃不和及正常人比较 $P<0.01$；2) 与肝胃不和及正常人比较 $P<0.05$；3) 与正常人比较 $P>0.05$

三、讨论

中医认为“脾主运化”，即脾具有运化水谷精微和运化水湿的功能。通过脾的运化，使水谷精微化生气血而充养五脏六腑，四肢百骸。脾气虚则运化失职，出现一系列脾虚证候。本文结果表明，脾气虚患者其壁细胞单位面积的线粒体、主细胞酶原颗粒、G 细胞分泌颗粒，以及餐后血清胃泌素比值均明显低于肝胃不和及正常人，差异有高度显著性（$P<0.01$），提示脾气虚患者除线粒体数目减少外，还存在胃蛋白酶的储备不足，以及 G 细胞的分泌能力差，分泌功能低下。这是脾气虚患者消化功能减

退的物质基础之一。此外，线粒体的结构亦有明显损伤。主要表现为线粒体肿胀，膜缺损。嵴的方向不规则，嵴断裂，基质内出现多个亮区或全部变空。少数可见纵向嵴，而肝胃不和患者则无上述改变。已有报道，脾胃虚弱多属于疾病的慢性期，急性发作消退或有明显的萎缩性改变。肝胃不和多属疾病的早期或以胃肠功能紊乱为主要表现。中医脾虚或肝胃不和证中，虽然病种不同，却表现出两种不同的功能和病理形态。这是中医的“证”有一定的物质基础。现代医学已阐明，线粒体是细胞有氧呼吸的基地和供能的场所。因此，线粒体质和量的改变，导致能量不足，脾主运化失司，引起一系列脾虚证候。这可能是脾气虚证病理形态改变的主要环节。与国内杨氏等人的报道近似。

本文同步检测胃黏膜 MDA 和 SOD 活性的结果表明，脾气虚患者胃黏膜 MDA 含量高于肝胃不和及正常人，差异有显著性（$P<0.05$），而胃黏膜 SOD 活性则低于肝胃不和及正常人，差异有显著性（$P<0.05$）。提示脾气虚证的发病过程可能有氧自由基参与。

近几年来的研究表明，自由基反应是许多疾病和损伤的病理基础。国外 Humter 等的实验证明，线粒体的脂过氧化作用与线粒体的肿胀、溶解、崩解等形态改变完全一致。这与本文观察线粒体的变化有相似之处。诚然，氧自由基在脾气虚证的发病过程中具有多大的意义，目前尚不明确，有待进一步探讨。

（李庆明，吴义芳．中山医科大学学报，1995；16〈1〉：45－47）

常见脾胃疾病的中医诊疗

消化性溃疡病

一、辨病要点

（一）慢性、周期性、节律性上腹疼痛。常伴反酸、嗳气。活动期可有上腹部局限性压痛。

（二）十二指肠溃疡胃酸分泌增高，胃溃疡胃酸可正常。

（三）X线钡餐检查发现龛影。

（四）纤维胃镜检查发现溃疡病灶。

二、辨证论治

（一）肝胃不和

证候：胃脘胀痛、痛连两胁、嗳气频频，大便不畅、每因情志诱发。苔多薄白、脉弦。

治法：疏肝理气止痛

方药：柴胡疏肝散加味。柴胡、白芍、川芎、香附、陈皮、枳壳、甘草。化热者加黄连、山栀子、丹皮。

（二）瘀血阻络

证候：胃痛如针刺或痛如刀割，痛处固定，拒按，喜暖喜按，或见呕血、便血。舌质紫暗或有瘀斑，脉涩。

治法：活血化瘀、理脾和胃

方药：膈下逐瘀汤加减。桃仁、红花、丹皮、五灵脂、当归、川芎、赤芍、香附、乌药、延胡索、枳壳、甘草。若有呕血、便血，属郁热者，可用泻心汤加减；属脾胃虚寒者，可用黄土汤加减。

（三）脾胃虚寒

证候：胃痛隐隐、喜暖喜按、饥时痛剧，得食痛减、泛吐清水、神疲乏力、纳差，便溏。舌质淡嫩、苔白、脉虚弱或迟缓。

治法：温中健脾、理气活血止痛

方药：自拟补脾活血方。黄芪、党参、白术、香附、五灵脂、炙甘草。临床上根据寒热分别加温中散寒或清热解毒药物。

（四）阴虚胃痛

证候：胃脘隐痛，口燥咽干，大便干结。舌少津、苔少或光剥、脉细弦。

治法：养阴益胃

方药：益胃汤合芍药甘草汤。沙参、麦冬、玉竹、扁豆、石斛、白芍、甘草。

慢性胃炎

一、辨病要点

（一）慢性胃炎的病史常不典型，且症状也无特异性。临床表现有纳少腹胀，上腹部不适等。

（二）确诊主要靠纤维胃镜检查和胃黏膜活检。

二、辨证论治

（一）肝胃不和（参考消化性溃疡）

（二）脾胃气虚

证候：胃脘隐痛、纳少腹胀、喜热喜按、面色萎黄、消瘦乏力，气短懒言，四肢不温。舌淡，苔白润，脉沉细无力。

治法：补气健脾，温中和胃

方药：香砂六君子汤加味。党参、黄芪、白术、茯苓、半夏、陈皮、砂仁、木香、炙甘草。胃热者加黄连，寒甚加桂枝、干姜。

（三）胃阴不足

证候：胃脘隐痛或灼热感，嘈杂食少、口燥咽干、烦躁失眠、或午后腹胀、大便干结。舌红少津、脉细略数。

治法：养阴益胃

方药：麦门冬汤合芍药甘草汤。麦冬、太子参、沙参、玉竹、石斛、白芍、花粉、甘草。

功能性消化不良

功能性消化不良（FD）又称非器质性消化不良（NOD）和非溃疡性消化不良（NUD），是一种常见病。

一、辨病要点

（一）过去1年内有至少12周具有下列情况：持续或反复发作的上腹部疼痛或不适，包括上腹胀、早饱、胀气、恶心等。也可有纳差、嗳气、泛酸、烧心等表现。

（二）内镜检查未发现溃疡、糜烂和肿瘤，亦无肝胰胆等器质性疾病的患者。

二、辨证论治

1999年罗马Ⅱ标准分型：溃疡型、动力障碍型、非特异型。

（一）肝胃不和

证候：胃脘痞满、腹胀、纳呆、嗳气、恶心，情志不遂易诱发或加重。舌苔薄白，脉弦。

治法：疏肝理气

方药：柴胡疏肝散加减。柴胡、白芍、枳壳、青皮、陈皮、香附、郁金、旋复花、代赭石、砂仁、乌药。

（二）脾胃湿热

证候：胃脘饱闷、口苦、反酸、烧心，大便不畅。舌红苔黄腻。

治法：清热化湿

方药：藿朴夏苓汤加减。黄连、蒲公英、藿香、佩兰、厚朴、半夏、茯苓、杏仁、蔻仁、生苡仁、滑石、竹叶

（三）脾胃虚弱

证候：胃脘隐痛，时作时止，饥时痛甚，嘈杂，喜暖喜按，进食可缓解，乏力纳呆。舌胖，苔薄白，脉沉。

治法：健脾益气

方药：黄芪建中汤加减。黄芪、白芍、桂枝、白术、茯苓、木香、砂仁、生姜、大枣、炙甘草。

（四）胃阴不足

证候：胃脘隐隐灼痛，口渴咽干，便干，纳呆，腹胀。舌红少津，苔少，脉细。

治法：滋阴和胃

方药：益胃汤加减。沙参、太子参、麦冬、生地、百合、白芍、佛手、枳壳、麦芽、谷芽、山楂、甘草。

急性上消化道出血

一、辨病要点

（一）胃与十二指肠溃疡：黑便较呕血多见，呕血色泽较暗红，大多为球部溃疡引起。过去多有溃疡病史、但也有无溃疡病史首先表现出血者。

（二）食道及胃底静脉曲张破裂出血：大多因肝硬化引起，以呕血表现为主，色泽鲜红、呕血量多。

（三）慢性胃炎及胃窦炎：已往可有食后上腹胀痛及消化不良等表现。胃镜检查可确诊，出血量一般比溃疡病少。

（四）胃黏膜脱垂症：常为进食所诱发，右侧卧位时疼痛加剧，并可出现反复呕吐，有进行性出血。诊断主要依靠典型的X线表现。

（五）食道－贲门撕裂症群：大多由于饮酒过量，病员的反复剧烈呕吐，引起贲门－食道下端纵形撕裂而呕血。内窥镜检查可诊断。

（六）上消化道癌肿，食道癌及胃癌：根据症状、体征及胃镜、胃肠钡餐造影可做出诊断。

（七）裂孔疝：多为老年人，表现为剑突处或胸骨下疼痛。

二、辨证论治

（一）胃肠实热

证候：便血色紫暗或紫黑，口干苦，口有臭秽，胃脘处疼痛或灼热，心烦，便秘。舌燥苔黄，脉弦数。

治法：清胃泻火

方药：三黄泻心汤加味。大黄、黄芩、黄连、丹皮、山栀、侧柏叶、白茅根。

（二）脾胃虚寒

证候：便血紫暗或黑色，脘腹隐痛，痛时喜按喜暖，畏寒肢冷，面色无华，纳差，便溏。舌淡，苔薄白，脉细弱无力。

治法：温阳健脾，坚阴止血

方药：黄土汤加味。干地黄、白术、制附子、阿胶、黄芩、灶心土。

（三）肝火犯胃

证候：吐血鲜红，口苦胁痛，头痛目赤，心烦易怒，寐少梦多。舌质红绛，脉弦数。

治法：泻肝清毒、凉血止血

方药：龙胆泻肝汤加减。龙胆草、黄芩、栀子、丹皮、生地、茜草根、旱莲草、藕节、白茅根。血出如涌加三七、花蕊石、蒲黄炭或加犀角地黄汤。

单验方

（一）云南白药每次 0.5g，每日 3 次。

（二）止血散（含田七、五灵脂、大黄、白及）1 包，每日 3 次。

肝硬化

一、辨病要点

（一）有病毒性肝炎、长期酗酒，营养失调，血吸虫病等病史。

（二）肝肿大，质硬。亦有肝脏缩小者，肝掌、蜘蛛痣。

（三）肝功能减退。血清总蛋白正常或降低，白蛋白降低，球蛋白增高，A/G降低或倒置；血清蛋白电泳：白蛋白减少，γ球蛋白增高。ALT可轻、中度升高。血清IgG、IgA、IgM可增高；血氨可升高。

（四）门静脉高压表现。腹水、脾肿大、腹壁静脉怒张。

（五）食道吞钡X线检查，可见虫蚀样或蚯蚓样充盈缺损。

（六）B超检查，可见分隔波，显示脾静脉与门静脉增宽，有腹水可见液性暗区。

（七）CT检查可发现肝硬化或腹水。

（八）肝穿刺活检，有假小叶形成。

二、辨证论治

（一）肝郁脾虚

证候：胸腹胀闷，两肋胀痛，嗳气不舒，食欲减少，便溏、乏力。舌质淡红，苔白滑，脉沉细。

治法：疏肝健脾

方药：四逆散合四君子汤加味。柴胡、枳壳、白芍、炙甘草、党参、白术、茯苓、川芎、香附、郁金。

（二）气滞血瘀

证候：胸肋胀痛，脘腹满闷，食欲下降，面部黧黑，消瘦乏力，肝掌，蜘蛛痣，肝脾肿大。舌暗红，有瘀点或紫斑，脉弦细或涩。

治法：行气活血，化瘀通络。

方药：膈下逐瘀汤加减，当归、川芎、赤芍、桃仁、红花、丹参、五灵脂、玄胡、香附、枳壳、乌药、甘草、苍术、鳖甲、炮山甲。

（三）水湿内阻

证候：腹胀如鼓、按之坚满、胸闷食少，恶心呕吐、小便短少。舌红苔薄，脉弦细或弦紧。

治法：理气运脾、行水利湿

方药：胃苓汤加减。茯苓、猪苓、泽泻、苍术、白术、陈皮、厚朴、车前子、大腹皮、木香、砂仁。

（四）脾肾阳虚

证候：腹大胀满，面色苍黄或白、脘闷纳呆、畏寒肢冷，神倦乏力、便溏。舌淡胖、脉沉细无力。

治法：温补脾肾，行气化水

方药：附子理中汤合五苓散加减。熟附子、党参、白术、干姜、肉桂、泽泻、大腹皮、茯苓、猪苓。

（五）肝肾阴虚

证候：腹大胀满或见青筋暴露，面色黧黑，口燥唇干，心烦失眠，鼻衄牙衄，小便短少。舌质红绛，少津，脉弦细数。

治法：滋养肝肾，育阴利水

方药：一贯煎合猪苓汤加减。沙参、麦冬、生地、枸杞子、牡蛎、泽泻、猪苓、阿胶、丹参、龟版、鳖甲。牙鼻衄血者，加仙鹤草，藕节，鲜茅根。

溃疡性结肠炎

一、辨病要点

（一）腹痛、腹泻、黏液脓血便、反复粪便检查无病原体者。

（二）纤维结肠镜检查对明确诊断与病变范围有重要意义。

二、辨证论治

（一）脾虚挟湿

证候：大便时溏时泻，粪便夹黏液（或脓血），纳差腹痛，面色萎黄。舌质淡苔腻，脉滑。

治法：健脾利湿

方药：黄芪健中汤加减。黄芪、桂枝、白芍、白术、茯苓。湿重加苍术、佩兰。热重加败酱草、白花蛇舌草。

(二) 脾虚挟瘀

证候：腹痛如刺，痛有定处，按之痛甚，面色晦滞，口干不欲饮。舌质暗淡，脉弦小涩。

治法：益气健脾，活血化瘀

方药：四君子汤合少腹逐瘀汤。党参、白术、茯苓、当归、川芎、赤芍、蒲黄、玄胡、没药、小茴香。

(三) 脾肾两虚

证候：腹泻多在黎明之前，腹部作痛，腰膝酸软，形寒肢冷，面色苍白。舌质淡胖，苔薄白，脉沉细。

治法：温肾健脾，固涩止泻

方药：附子理中汤合四神丸，附子、黄芪、干姜、白术、党参、茯苓、补骨脂、砂仁、炙甘草。

附：中药保留灌肠

1. 喉风散 1 支加温生理盐水 100ml 保留灌肠，每晚 1 次，30 天为 1 疗程。

2. 公英、野牡丹、白花蛇舌草、苦参、大黄、煎水保灌肠。阳虚者加附子。

肠道易激综合征

一、辨病要点

(一) 临床表现

1. 腹痛：以结肠运动功能障碍为主者，常有左下腹阵发性痉挛性疼痛，伴腹胀，便秘，排便后腹痛缓解。小肠易激者可有脐周痛，伴肠鸣，腹泻稀水便。

2. 腹泻及（或）便秘：结肠分泌功能紊乱为主，常间歇性腹泻，多在餐后出现，粪量不多，混有黏液。或便秘与腹泻交替出现。

3. 植物神经功能紊乱表现：如心悸、胸闷、头晕、失眠、多汗等等。

4. 无阳性体征，偶可在左下腹触及“蜡肠样”痉挛的乙状结肠或粪便、排便后消失。

（二）粪便检查：镜检极少有白细胞、脓球、红细胞等，培养无致病菌，无寄生虫卵及阿米巴原虫。

（三）钡灌肠检查或钡餐：可见肠管痉挛变细，结肠袋增多，加深，无固定性狭窄，充盈缺损溃疡等征象。

（四）纤维结肠镜检查：无器质性病变。

二、辨证论治

（一）肝脾不和

证候：平素多有胸胁胀闷不舒，嗳气，食少，每因情绪紧张或恼怒郁抑，即发生腹痛泄泻。舌质淡红苔薄白，脉弦。

治法：抑肝扶脾

方药：痛泻要方或四君子汤合四逆散加减：防风、白芍、白术、柴胡、茯苓、党参、枳壳。肝郁明显者，可加素馨花、佛手。

（二）脾虚泄泻

证候：大便溏时泻，迁延反复，完谷不化，饮食减少，食后脘闷不舒。稍进油腻则大便次数增多，面色少华。舌质淡苔白，脉细弱。

治法：健脾益气

方药：参苓白术散。党参、白术、茯苓、砂仁、陈皮、淮山药、莲子、扁豆、薏苡仁、桔梗。若久泻中气下陷，可加入黄芪、升麻。

胰腺炎

一、辨病要点

（一）急性胰腺炎。

1. 起病急骤、常在饱食或饮酒后发作，上腹部剧痛、恶心、呕吐，若胰腺出血坏死常迅速陷入休克状态。

2. 上腹部压痛：腹肌紧张，历时较久者可出现腹水，少数病例上腹部可扪及包块。

3. 白细胞总数及中性粒细胞增高。血清淀粉酶高（高于350u应怀疑本病，超过500u时有诊断价值）。腹水及尿的淀粉酶亦增高。

4. 根据症状、体征分水肿型及出血坏死型。必要时可行腹部CT检查。

5. ERCP对诊断慢性胰腺炎有重要价值。

（二）慢性胰腺炎

1. 间歇期长短不一，反复急性发作的上腹部疼痛，既往或有急性胰腺炎病史。

2. 因胰腺外分泌不足，胰酶缺乏，可出现脂肪泻，营养不良，脂溶性维生素缺乏，若病变累及胰岛，可出现糖尿病症状。

3. 上腹部可有压痛，少数可扪及包块。各种胰腺外分泌功能均可减退。

4. 腹部平片可见钙化影，B超可见胰腺肿大或减小、或有胰腺囊肿征象。

二、辨证论治

(一) 寒实型

证候：腹剧痛，喜温恶冷，面色灰白，手足厥冷，不思饮食。舌淡苔白，脉弦紧。

治法：温里散寒、通便止痛

方药：大黄附子细辛汤加减。大黄、熟附子、细辛。腹胀满者可加广木香、厚朴；体质虚者，可用制大黄。

(二) 实热型

证候：腹部痞满拒按疼痛，潮热，大便不通，手足濈然汗出，口干欲饮，恶心呕吐。舌质红，苔焦黄起刺，脉沉实有力。

治法：清热通腑

方药：大承气汤或大柴胡汤加减。大黄、厚朴、枳实、芒硝、柴胡、赤芍、黄芩、法半夏。痛甚可酌情加用广木香、玄胡、川楝子；甚或加蒲公英、黄连。

(三) 虚寒型

证候：上腹部隐痛，喜温按，按之痛减，面色少华，便溏纳差，神疲乏力，畏寒气短。舌淡苔白，脉细无力。

治法：温中补虚，缓急止痛

方药：小建中汤。桂枝、白芍、大枣、生姜、饴糖、炙甘草。兼气虚者加党参、黄芪。

胃　癌

一、辨病要点

（一）临床表现

1. 上腹痛：早期症状常不明显，可稍有上腹不适，腹胀或隐痛，以后疼痛渐重，疼痛无规律性。晚期呈持续性剧痛，可向后背部放射。

2. 食欲不振：部分病员以此为早期症状，厌油腻，伴恶心、呕吐、厌食，体重明显下降，乏力，进行性贫血，呈恶液质状。

3. 消化道出血：为少量，反复呕血或黑便，少数以急性大出血为首发症状。

4. 梗阻症状与体征：贲门肿瘤较早出现吞咽困难，幽门部肿瘤出现潴留性呕吐，有时上腹部可扪到质地坚硬的包块且有压痛。

5. 转移性症状：晚期往往有转移症状与体征，如锁骨上窝淋巴结肿大，血性胸或腹水，进行性肝肿大或肝区持续性痛，有肺内病变或病理性骨折等等。

（二）X线钡剂检查：常有局部胃壁强直，黏膜皱壁中断，充盈缺损，巨大龛影，半月征，蠕动消失及胃窦部狭窄与梗阻征象。

（三）纤维胃镜及活检：此为诊断胃癌最可靠的方法。

二、辨证论治

早期胃癌，胃癌组织浸润深度仅限于黏膜或黏膜下层者，不论病变大小和有无淋巴结转移，均称为早期胃癌。早期胃癌中凡病灶的最大径为5.1～10mm者，称为小胃癌；小于5mm者称为微小胃癌。根据有无周围淋巴结转移，分为A组（无淋巴结转移）、B组（有局部淋巴结转移）和C组（有第一站以上淋巴结或脏器转移）。中晚期胃癌（又称进展期胃癌）胃癌组织已浸润达肌层、浆膜层或浆膜外者。

早期胃癌行根治性切除术是最好的选择，术后可加用中草药辅助治疗。中期进展性胃癌，应力争手术切除癌灶，再行化疗、中西医结合治疗。晚期胃癌未能手术者，或术后复发者，治疗以中医中药扶正抗癌为主。

在疾病的发生发展中，由于病邪的深浅不同，其病情症候也是不一样的，因此在不同病期，辨证有别。在胃癌的辨证论治中，初期病邪尚浅，正气未虚，多见气机不畅，升降失常，治宜理气和胃为主。中期胃气已虚，虚多实少，寒多热少，治宜健脾益气，降逆和胃为主。晚期气血虚衰，脾胃虚寒，治宜补益脾胃或健脾和胃消滞为主。

（一）痰气凝结

证候：胃脘疼痛，甚则呕吐痰涎食物，胸膈痞满，吞咽困难，嗳气，呃逆，口干咽燥，大便艰涩。舌质偏红或红而光，苔薄腻或黄，脉弦细而滑，此型多为胃癌早期。

治法：化痰理气，软坚润燥

方药：启膈散加减。沙参、茯苓、丹参、川贝母、郁金、砂仁、荷叶蒂、杵头糠、代赭石、旋复花、白花蛇舌草、海藻。

（二）瘀血内结

证候：吞咽梗阻，胸膈疼痛或刺痛，灼热，食不能下，甚则滴水难进，进食即吐，泛吐粘痰，大便坚硬如羊屎，或吐下如赤豆汁，或便血，形体消瘦，肌肤甲错。舌质红或青紫，舌上少津，脉细涩，多见于胃癌中、晚期。

治法：破瘀散结，滋阴养血

方药：通幽汤加减。桃仁、红花、丹参、赤芍、刘寄奴、海藻、昆布、瓜蒌、水蛭、白花蛇舌草、生地、当归、甘草。

(三) 脾胃阳虚

证候：形体消瘦，极度衰弱，面色萎黄或苍白，呕吐宿食，顽固不化、口淡纳少，脘腹胀满，大便软溏薄，面浮足肿。舌淡，脉细。此型多见于胃癌中晚期或术后。

治法：益气健脾，温中降逆

方药：丁香透膈散加减。党参、白术、黄芪、丁香、白蔻仁、薏苡仁、法夏、姜竹茹、半枝莲、白花蛇舌草、甘草。

慢性胆囊炎

一、辨病要点

(一) 临床表现

1. 轻重不一的腹胀，上腹或右上腹不适感，持续性钝痛或右肩胛区痛，胃灼热及嗳气等。症状虽不严重，但迁延、顽固、进食油腻食物后可剧。

2. 食后腹痛，恶心。

3. 当慢性炎症急性发作或胆囊管发生梗阻时，可出现急性胆囊炎或胆绞痛的典型症状。

4. 体征颇不一致，有时可无阳性体征，有时可有右上腹局限性深压痛，

5. 发病前可有胆石症、急性胆囊炎、胆道寄生虫感染史。

(二) 辅助检查

1. B超检查：可发现有肿大或缩少的胆囊壁粗糙增厚，收缩不良，腔内可发现胆石。

2. X线平片或胆囊造影，若发现胆石阴影可作为本病的佐

证，胆囊造影可发现胆囊收缩不良，胆囊壁增厚。

二、辨证论治

（一）肝气郁滞

证候：右上腹或胃脘不适或隐痛，痛连肩背，嗳气频作，脘腹胀满，烦躁，纳呆。舌苔薄白，脉弦。

治法：疏肝理气止痛

方药：柴胡疏肝散加减，柴胡、白芍、枳壳、川芎、香附、金钱草、马鞭草、甘草。

（二）气滞血瘀

证候：右上腹或胃脘部疼痛，痛有定处，痛如针刺或刀割，拒按，食少纳呆，嗳气，面色晦暗。舌暗或有瘀斑，脉细涩。

治法：疏肝理气、活血化瘀

方药：柴胡疏肝散合膈下逐瘀汤加减，柴胡、枳壳、木香、川芎、桃仁、红花、当归、牛膝、玄胡、丹参、马鞭草。

（三）肝胆湿热

证候：右上腹或胃脘胀闷，甚则疼痛，四肢倦怠，厌油腻，纳少，便溏，小便黄赤。舌质红，苔黄腻，脉弦数。

治法：清热利湿，疏肝理气

方药：茵陈蒿汤加减，茵陈、大黄、山栀子、金钱草、车前子、黄连、枳壳、柴胡、郁金、陈皮、甘草。

大肠癌

一、辨病要点

（一）大肠癌包括结肠癌与直肠癌，是常见的恶性肿瘤。大肠癌起病隐匿，早期仅见粪便潜血阳性，随后常以血便为突出表现，或有痢疾样脓血便，里急后重，有时表现为顽固性便秘，大便形状变细，或腹泻与便秘交替，粪质无明显黏液脓血。

（二）不同性质与程度的腹痛。晚期患者因有腹膜后转移，可浸润腰骶神经丛，常有腰骶部持续性疼痛。

（三）腹部肿块。肿块位置取决于癌的部位。

（四）晚期患者可出现贫血、低热、消瘦、黄疸和腹水等。

（五）结肠镜检查是大肠癌确诊的最佳方法。此外，可行气钡双重造影、钡剂灌肠检查或CT、超声结肠镜等检查。

（六）CEA对本病的诊断不具特征性，但定量动态观察，对大肠癌手术效果的判断与术后复发的监视均有价值。

（七）Dukes大肠癌临床病理分期：A期（癌局限于肠壁），B期（癌穿透浆膜），C期（有局部淋巴结转移），D期（有远处转移）。

二、辨证论治

大肠癌的唯一根治方法是早期切除术。对化学药物一般不很敏感，仅是一种辅助疗法。大肠早期癌根治后一般不需化疗，Dukes B期术后是否需用化疗尚无定论。但术前、术后或化疗中可辅以中药治疗。

（一）湿热痰结

证候：腹部隐痛，便中夹血，或里急后重，肛门灼热，或发热、恶心、胸闷。舌红苔黄腻，脉弦滑数。

治法：清解湿热，化痰散结

方药：清肠方加减。苦参、半枝莲、凤尾草、生薏苡仁、蛇莓、枳壳、山慈姑、败酱草。

（二）脾虚瘀阻

证候：嗳气，纳呆，腹痛腹胀，便下脓血，里急后重。舌淡暗或有瘀点，脉细涩。

治法：益气健脾，解毒化瘀

方药：陈夏六君汤加解毒化瘀。黄芪、党参、白术、茯苓、陈皮、法半夏、麦芽、鸡内金、白英、马齿苋、蜈蚣、炮山甲、砂仁。

（三）气血两虚

证候：气短乏力，心悸心慌，面色无华，头晕眼花，脱肛下坠。舌淡脉细。

治法：益气养血，健脾补肾

方药：八珍汤加减。党参、白术、茯苓、当归、熟地、川芎、白芍、黄芪、麦芽、山楂、陈皮、砂仁。

（李庆明）

慢性胃炎诊疗新进展

慢性胃炎系指不同病因引起的胃黏膜炎症或萎缩性病变，其发病率在各种胃病中居首位。2000 年全国慢性胃炎研讨会共识意见将慢性胃炎分为慢性浅表性胃炎和慢性萎缩性胃炎。主要症状：餐后饱胀、嗳气或伴有食欲减退、恶心、上腹部不适或疼痛，属祖国医学“胃脘痛”，“腹胀”，“嘈杂”，“心下痞满”等范畴。

一、病因病机

（一）感染因素

1.Hp（H.pylori）感染　1983 年 Warren 和 Marshall 首先从慢性胃炎患者的胃黏膜活检标本中分离出 Hp，检出率高达 60%

~80%，慢性活动性胃炎几乎100%检出Hp，目前一致认为Hp感染是慢性胃炎的主要病因。

2. 海尔曼螺杆菌（HH）感染　HH感染较Hp感染率低，欧美等国胃镜检出率为0.20%～0.95%，健康无症状者为1.16%，国内感染率较高，达1.7%～5.0%。

3. 其他细菌、病毒感染　如慢性肝病患者常有慢性胃炎的症状和体征，在乙肝病人胃黏膜中有乙肝病毒的抗原抗体复合物。

（二）物理化学因素

1. 食物刺激　反复进食强烈的刺激性食品如：烈酒、浓茶、咖啡、泡菜、过烫或过冷等饮食能够损伤胃黏膜可致急性胃炎，治疗不彻底或致病因素未消除，使炎症反复或继续发展，久之转为慢性胃炎。

2. 吸烟　Eward发现每天吸烟20支以上的人40%可发生胃黏膜炎症。

3. 饮酒。

4. 药物　非甾体类抗炎药（NSAIDs）如阿司匹林和保泰松可引起胃黏膜糜烂，糜烂愈合后可遗留慢性胃炎。有一些抗生素对胃黏膜亦有一定损害。

（三）免疫因素

1. 体液免疫　内因子抗体（IFA）分为两型：Ⅰ型又称阻断抗体，能防止维生素B_{12}与内因子结合，以致维生素B_{12}不能吸收；Ⅱ型又称结合抗体，能与内因子维生素B_{12}复合物结合，阻碍维生素B_{12}的吸收。这两种抗体的存在与胃黏膜萎缩有关。

胃泌素分泌细胞抗体（GCA）与B型萎缩性胃炎有关。

壁细胞抗体（PCA）在一般萎缩性胃炎中阳性率为20%～30%。Strickland认为A型萎缩性胃炎为自身免疫疾病，由于

PCA与壁细胞发生自身免疫反应，引起壁细胞萎缩，HCL分泌减少。

2. 细胞免疫　萎缩性胃炎胃上皮细胞内普遍可见淋巴细胞，有些病例观察到淋巴细胞有丝分裂或伪足，导致邻近壁细胞质膜溶解现象，说明在发病过程中细胞免疫现象与胃黏膜病变同时发生。

（四）十二指肠液反流

动物及临床研究已证明胆汁反流可损害胃黏膜屏障，引起炎症、黏膜萎缩、肠化，并刺激胃泌素释放抑制幽门括约肌，使胆汁反流形成恶性循环。

（五）遗传因素

根据Varis调查，慢性萎缩性胃炎病人的第一代亲属间，其发病率明显增高，且恶性贫血的遗传倾向也很明显。有亲戚关系的发病率比对照组高20倍。

（六）年龄因素和营养因素

慢性胃炎的发病率随年龄而增高，萎缩、肠化、不典型增生也随年龄而增多和增加。这可能是老年人小动脉硬化、胃黏膜退行性改变，使黏膜营养不良，分泌功能下降、胃黏膜屏障功能减低所致。胃黏膜营养因子缺乏，如胃泌素、表皮生长因子、抑胃素等，或胃黏膜感觉神经终器对这些因子不敏感也可引起胃黏膜萎缩。慢性缺铁和缺血缺氧可致胃黏膜受损。

二、慢性胃炎的诊断

（一）慢性胃炎分类

慢性胃炎的分类方法很多，简单介绍以下几种分类法。

1. Schidler分类　分为原发与继发两类。原因不明者属原发性，并发于胃溃疡、胃癌及胃手术后者为继发性。原发性的又分为浅表、萎缩及肥厚三型。

2.Strickland分类　将慢性胃炎分为A、B两型。其依据是：PCA阳性，炎症主要在胃体者为A型；PCA阴性，炎症主要在胃窦部者为B型。

3.我国重庆分类　1982年重庆全国慢性胃炎座谈会将慢性胃炎分为浅表性、萎缩性及浅表萎缩性胃炎。

4.悉尼分类　1990年悉尼世界胃肠病大会确定，由组织学和内镜二部分组成。组织学以病变部位为核心，确定3种基本诊断：急性胃炎、慢性胃炎和特殊类型胃炎。并对肠上皮化生，炎症，腺体萎缩及Hp感染分别给予程度分级。内镜部分以肉眼所见的描述为主，并区分病变程度，确定7种内镜下胃炎的诊断：红斑渗出性胃炎、平坦糜烂性胃炎、隆起糜烂性胃炎、萎缩性胃炎、出血性胃炎、反流性胃炎和皱襞肥大性胃炎。

5.2002年5月在井冈山全国慢性胃炎研讨会上提出了我国新的分类法（见表1）

表1　井冈山会议慢性胃炎分类共识意见

类型	病因	同义语
浅表性(非萎缩性)	H.pylori、其他因素？	慢性胃窦炎、间质性/滤泡性、高分泌性、糜烂性
萎缩性		
自身免疫性	自身免疫	A型胃炎、胃萎缩、弥漫性胃体炎、恶性贫血相关性
多灶萎缩性	H.pylori、饮食因素、环境因素	B型胃炎、化生性、弥漫胃窦萎缩性特殊型
化学性	化学性刺激、胆汁性、NSAIDs、其他因素？	反应性、反流性、NSAID性
放射性	射线损伤	

（续表）

淋巴细胞性	原发性？免疫反应性、麦胶、药物性、H.pylori？	痘疹样（或疣状）胃炎（内镜下）、乳糜泻相关性
非感染性	Crohn 病	
肉芽肿性	结节病、Wegner 肉芽肿和其他血管炎病异物性、原发性	孤立肉芽肿性
嗜酸细胞性	食物过敏、其他过敏？细菌（非 H.pylori）	过敏性
其他感染性疾病	病毒、霉菌、寄生虫	蜂窝织炎性

（二）慢性胃炎的内镜诊断

1. 分类　内镜下慢性胃炎分为浅表性胃炎（或称非萎缩性胃炎）和萎缩性胃炎，如同时存在平坦糜烂、隆起糜烂或胆汁反流，则诊断为浅表性或萎缩性胃炎伴糜烂或伴胆汁反流

2. 病变的分布和范围　胃窦、胃体或全胃

3. 诊断依据　浅表性胃炎：红斑（点状、片状、条状），黏膜粗糙不平，出血点（斑）；萎缩性胃炎：黏膜呈颗粒状，黏膜血管显露，色泽灰暗，皱襞细小。

（三）慢性胃炎的病理诊断

井冈山会议确定慢性胃炎的组织学量化诊断标准。标准采用了悉尼分类系统的直观模拟评分法（附图），同时予以文字描述，所涉及形态学变量有 H.pylori、慢性炎症、活动性、萎缩和肠化 5 种，各种变量均分为无、轻度、中度和重度 4 级（见表 2）。

表2 组织学分级标准

变量	无或正常	轻度	中度	重度
H.pylori	特殊染色片上未见 H.pylori	偶见或小于标本全长的1/3有少数 H.pylori	H.pylori 分布超过标本全长1/3而未达到2/3或连续性、薄而稀疏地存在于上皮表面	H.pylori 成堆存在，基本分布于标本全长
活动性	无中性粒细胞浸润	黏膜固有层有少数中性粒细胞浸润	中性粒细胞较多存在于黏膜层，可见于表面上皮细胞，小凹上皮细胞或腺管上皮间	中性粒细胞较密集，或除中度所见外还可见小凹脓肿
慢性炎症	单个核细胞每高倍视野不超过5个，如数量略超过正常，而内镜下无明显异常，病理可诊断为无明显异常	慢性炎症细胞较少并局限于黏膜浅层，不超过黏膜层的1/3	慢性炎症细胞较密集，超过黏膜层的1/3，未达到2/3	慢性炎症细胞密集，占据黏膜全层
萎缩	无腺体萎缩	固有腺体数减少不超过原有腺体的1/3，大部分腺体保留	固有腺体数减少超过1/3，但未超过2/3，残留腺体分布不规则	固有腺体数减少超过2/3，仅残留少数腺体，甚至完全消失
肠化	无肠化	肠化部分占腺体核总面积的1/3以上	占1/3～2/3	占2/3以上

三、慢性胃炎的治疗

（一）根除 H.pylori

1.H.pylori 阳性的胃炎患者是否都需要根除 H.pylori，存在不同意见。井冈山会议认为：下列慢性胃炎患者需要进行

H.pylori 根除治疗：①有明显异常（胃黏膜糜烂、中～重度萎缩、中～重度肠化、不典型增生）者；②有胃癌家族史者；③伴糜烂性十二指肠炎者；④消化不良症状经常规治疗疗效差者。

2.H.pylori 根除必须三联用药，失败后可四联用药。常用的三联疗法有铋剂加两种抗生素或质子泵抑制剂加两种抗生素，四联疗法在铋剂三联的基础上加 H_2 受体阻断剂或质子泵抑制剂(见表 3)。

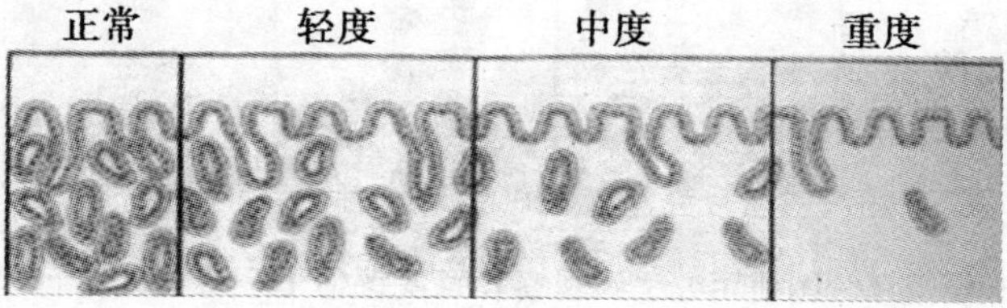

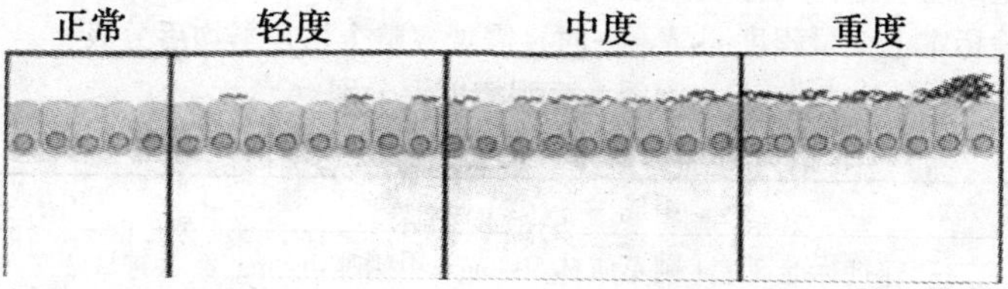

萎缩：胃窦

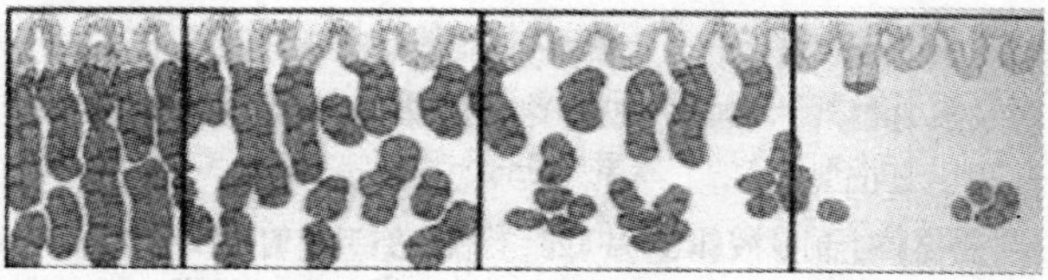

幽门螺杆菌

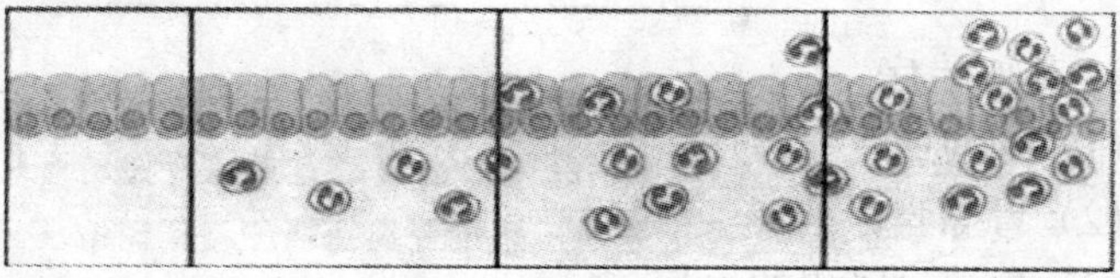

萎缩：胃体

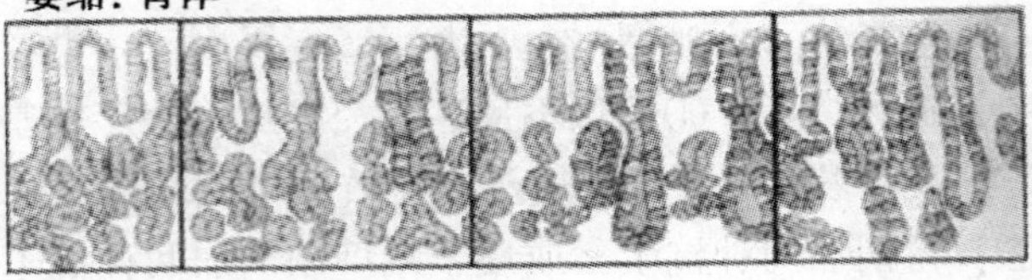

中性粒细胞

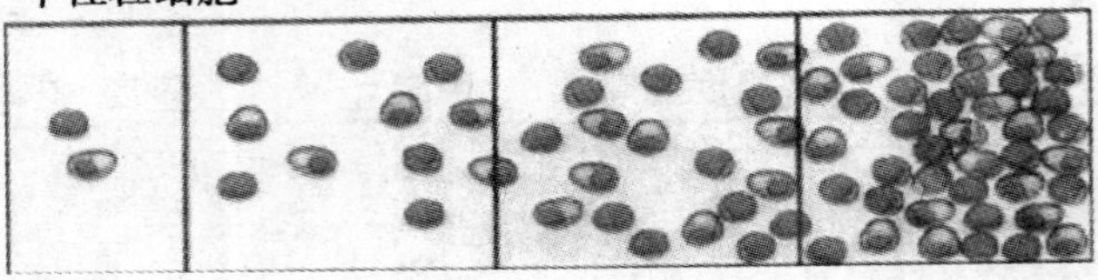

直观模拟评分图使用方法：观察者每次评估 1 个特征，将病理切片中最普遍的组织学像与标准图像对照，找出最匹配的图像后进行分级；同 1 块活检标本上变量程度明显不一时，需观察整个切片平均后分级

附图　直观模拟评分图

表 3　井冈山会议推荐的 H. pylori 根除治疗方案

方案	组成	用法
铋剂＋两种抗生素	铋剂标准剂量＋阿莫西林 500mg＋甲硝唑 400mg	每日 2 次×2 周
	铋剂标准剂量＋四环素 500mg＋甲硝唑 400mg	每日 2 次×2 周
	铋剂标准剂量＋克拉霉素 500mg＋甲硝唑 400mg	每日 2 次×1 周
质子泵抑制剂(PPI)＋两种抗生素	PPI 标准剂量＋克拉霉素 500mg＋阿莫西林 1000mg	每日 2 次×1 周
	PPI 标准剂量＋阿莫西林 1000mg＋甲硝唑 400mg	每日 2 次×1 周
	PPI 标准剂量＋克拉霉素 500mg＋甲硝唑 400mg	每日 2 次×1 周
其他方案	雷尼替丁枸橼酸(RBC)400mg 替代方案二中的 PPI H_2 受体阻断剂(H_2－RA)或 PPI＋推荐方案一，组成四联疗法	

3. 其他治疗

(1) 抑酸或抗酸治疗

(2) 胃黏膜保护剂

(3) 胃运动障碍的治疗

（4）助消化药

（5）心理治疗

（6）饮食调节

（7）手术治疗

（8）中医中药治疗

参考文献

1 中西医结合消化病学．北京：人民卫生出版社，2003．553－572

2 王崇文．慢性胃炎的分类、诊断、及治疗现状．现代消化及介入诊疗，2003；8（3）：164－167

3 卢致鹏．李庆明教授治疗慢性胃炎之经验探析．中医药通报．2005；4（3）：38－40

4 中国医学会消化病学分会．幽门螺杆菌共识意见（2003．安徽桐城）．中华消化杂志，2004；24（2）：126－127

5 林金坤等．十二指肠胃反流与胃黏膜炎症关系探讨．中华消化杂志，2004；24（2）：87－89

6 梅彦．表皮生长因子与慢性萎缩性胃炎研究进展．国外医学·消化系统疾病分册，2005；25（3）：149－151

7 Carstle MZ，Silk DB，Libby GW．Review article：the rational for antidepressant therapy in functional gastrointestinal disorders．Aliment Pharmacol Ther．2004．19：969－979

（李庆明）

李庆明教授治疗慢性胃炎经验

李庆明教授是广东省中山大学附属第二、第五医院之教授、主任医师、博士生导师，从医40载，擅长脾胃病之诊疗。临证诊治时颇具独匠，善于辨证论治，收效颇功。尤以慢性胃炎之病患更独具疗效。笔者有幸随师侍诊，获益良多，今兹将其治疗慢性胃炎之经验简介如下：

一、中焦脾胃升降失常是慢性胃炎之主要病机

脾胃同属中焦，互为表里，于经络则为络属关系。而脾主化，胃主纳，脾主升清，胃主降浊，一纳一化，一升一降，共成生化气血之功。以共同完成饮食消化、吸收并及水谷精气之输布。而任何脾胃之升降失常均可引起脾胃系统疾病，而慢性胃炎系指在不同病因所引起之慢性胃黏膜炎症性病变或萎缩性病变——大部分系属脾胃升降失常之病机。慢性胃炎之各种症状均与脾胃升降失常有关，又知脾为阴土，喜燥恶湿，脾气以升为顺；而胃为阳土，喜润恶燥，胃气以降为和。脾胃之间之阴阳互助，湿燥相济，显示出其升降相因之气化关系——唯有通调升降揉之平衡，方能根治其病之根。另脾胃生理上之相互联系关系，亦使病理上亦相互影响，如脾为湿困，运化失调，清新之气不能上升，致使可影响胃之受纳与和降，而见脘腹胀、食少、嗳气、恶心、呕吐等症状。反之，若饮食失节，食滞胃脘腹部之间，胃失和降，亦可影响至脾之升清与运化，而出现胃胀腹泻等症状。此时李教授皆从调理脾胃法治之，以期脾胃升降复常。

二、调畅气机舒其壅滞为治疗慢性胃炎之重要法则

李教授认为调畅气机、舒其壅滞是治疗慢性胃炎之重要手段，任何病因引起之慢性胃炎之疾病皆须从其气机之调达顺畅着手。而调畅气机主要考虑升脾气、降胃气为主，并须兼顾肝气及宣肃肺气，并再结合临床见证加以辨证论治，往往能收到良好疗效。

（一）降胃气、升脾气以气机调畅

降胃升脾法是治疗慢性胃炎常用之法。李教授常喜用四君子汤加减用方来治疗慢性胃炎之患者，取方中之党参健脾补脾气养

胃，白术以健脾燥湿，加强益气助运化和胃之功，以茯苓健脾调脾渗湿和胃之功，炙甘草益气调脾和中并调和诸药为功。加枳实、木香、厚朴、藿香等药降胃气。若见体弱气虚，脾虚食少者，则以人参或黄芪、加上砂仁、谷芽、麦芽、鸡内金、升麻、柴胡之类升调脾气。升脾与降胃其实是一体两面的，相辅相承的。脾升即能胃降，气机调畅，脾胃当能健运。

（二）降肺气、理肝气以通达脾胃

李教授认为要调理脾胃系统疾病及宣降脾胃气机等方面，除脾胃本身因素外，尚须考虑其他脏腑之气机升降失调而影响至脾胃之升降功能，如肺失宣肃、肝失疏泄及表现在运化功能之影响等等。因肝主疏泄、其生理特性是升、动、散。其疏可使气之运行通而不滞，其泄可使气散而不郁，亦即对气机之疏通起调畅之功能，而脾胃之升降、运化则又赖于肝气之疏泄。而肺主气、司呼吸、通调水道。而其中通调水道即指肺之宣发和肃降运动对体内津液之输布、运行和排泄有疏通和调节作用。而人体之水液来源于脾，而归于肺，其调畅与否则归功于肺之宣发肃降功能之是否正常。由此即知治疗脾胃系统疾病必须兼顾肝、肺之调畅方可。而临床上更须理解到如肝疏泄太过或不及，亦均会影响脾胃之升降功能，如出现肝气犯胃或肝脾不和之证候。而在疏肝和胃时尚须注意升降润燥问题。亦须理解到在疏肝的程度上已兼顾到某些程度之（和胃）功能了。

李教授临床上常用：木香、柴胡、郁金、香附、枳实、枳壳、麦芽、谷芽、佛手、茯苓、杏仁、枇杷等药治疗脾胃系统慢性胃炎等病。如以柴胡、木香疏肝去积解郁，枳实、枳壳以开胃降浊下气，宣肺止痛，香附疏肝理气，麦芽、谷芽以和胃健脾理中并助消化、止胀痛，能走又守而无津伤液耗伤气之害，以郁金、佛手疏肝解郁，下气止痛，祛瘀行滞开宣为用，并以茯苓健脾渗湿和胃为用，诸药合参即取得疏肝和胃、健脾止痛之功。

(三) 滋胃阴、补脾阳以固中焦脾胃

脾气之升赖以脾阳之鼓动，而胃气之降则赖以胃阴之滋养。脾胃之阴阳须相对平衡方能无疾。又脾为阴体而抱阳气，阳动则升，胃为阳体而含阴精，阴静则降。李教授认为临床上要兼顾脾胃阴阳同治同理不可偏执一方，并要同时考虑升脾滋胃合用，使脾胃气机通畅。滋胃阴宜清淡，不宜滋腻粘滞，升补脾阳不宜过燥温涩之品，充份体现“忌刚用柔”之法。并提出了以补阳以滋阴之治法，甚合阳胜则阴生之理。根据脾胃本身之生理特点，制定针对脾胃阴阳偏衰之病理状态。

(四) 辨证论治务必切中病机

辨证论治是中医学重要特色之一。李教授临床上特别重视辨证论治、整体观念之配合方法。强调唯有对症清楚、辨证清晰、分清标本主次、辨明寒热虚实、善运四诊八纲、施以温补清消诸法，方能全面提升医疗效果，亦能显示出病因治疗法之确切性，否则易流治标而不治本之偏讥。

1. 脾胃虚弱证

素体脾胃虚弱者，其况常内易为饮食所伤及，外易为病邪毒郁所袭致。内外相因，脾胃虚弱，中气不足，其运化功能失职，或病后中气虚弱，或误下克伐伤中损胃，致使阳气不振不舒，而不能运化水谷精微，致其聚而不散，症见：胸脘痞满中焦不舒，喜按喜热，得热则舒，面色乏华或青黑，纳差神疲体倦，或疲乏无力呆羸衰体气倦状，舌质淡或有齿痕印，苔薄白，脉弱无力或细濡小状。此为虚痞。此宜温补脾胃法，用香砂六君子汤类或补中益气汤类或黄芪建中汤类加减用之。若见阳虚较甚，或虚逆至极，舌质淡胖、苔白、脉缓弱或沉弱无脉状，暮急朝宽略缓，痞满，胸闷、胀痛难忍者，则宜用附子理中汤类加减大峻温补脾胃，其效颇功。

2. 湿困脾胃证

可见胃脘满闷，胸闷不饥，脘痞不舒，恶心欲呕，肢体困倦，头重身重，倦怠不已，或头胀昏重，口渴不欲饮，或大便溏薄不畅，舌苔白腻或厚腻，脉滑，胃镜检查胃黏膜充血明显，水肿甚至糜烂等等。若化热夹痰者，则口苦咽干，或口吐黄稠痰，小便涩黄或便时刺热感，舌苔黄厚腻或黄腻。前者当以清热化湿为主，可用平胃散类、藿朴夏苓汤类、三仁汤类加减：佩兰、生苡仁、石菖蒲、泽泻、猪苓、法夏等。而后者则宜加黄芩、蒲公英、紫花地丁、半枝莲等清热药。待其湿热去除后再调理脾胃。

3. 肝郁脾虚证

肝主疏泄，脾主运化。如肝之疏泄功能失调，则气机不畅失于调达，则易肝木郁逆，横犯胃土，肝胃之气不和，脾失运化滞浊中焦，气机阻滞窒碍难行，致脘胁痞满胀痛或胸胁部虚逆满闷气痛。此宜开郁健脾，理气和中，疏肝止痛。宜用柴胡疏肝散类和四君子汤类合方主之。如柴胡、白芍、枳实、枳壳、郁金、佛手、香橼、党参、白术、茯苓、炙甘草、木香、陈皮等药。

4. 饮食阻滞证

脾胃失调，脾虚不能运化输注四肢，胃虚不能消谷传导，以致食久之物转邪不化，滞阻中焦，不饥、不纳、不欲饮食，腹中攻撑不和，嗳腐吞酸，或呈恶心腹痛胀满，舌苔厚腻，脉滑，宜以消食下气和中，去郁化滞为主。宜用：枳术厚朴汤类加木香、布渣叶、莱菔子、谷芽、麦芽、山渣、鸡内金等。而若兼有大便不通数日不下腹中硬疼者，则加大黄、神曲、郁李仁、槟榔、青皮、佛手、大腹皮以通腑消导。

5. 胃阴不足证

胃阴不足则内生虚热，阴虚则火旺，故可出现如胃脘部灼热疼痛，餐后饱胀感、口干舌燥，大便干结难下，或身有燥热感，舌红少津或有裂纹，舌苔少或无，脉象细或微数或虚数状。此宜用养阴益胃、滋荣润燥、和络止痛为主。用沙参麦冬汤合益胃汤加减主之。

6. 胃络瘀阻证

可见到胃痛日久不愈，痛处固定，按之刺痛为主，痛疼时拒按，稍按即痛，或大便色黑，舌质紫暗或暗红、有瘀斑、脉涩或弦涩。宜化瘀活血通络行气止痛为主。失笑散类加减用之。如兼有气虚患者，则宜另加黄芪、太子参、党参、西洋参等。如有阴虚者则宜再加生地、丹皮、玄参、沙参。如有瘀血凝滞日甚者，则宜另加乳香、没药、郁金、川楝子、延胡索等。

四、病案举例

例一：唐某某，女，31岁，病历号码：NO.0108917号。2004年8月来院就诊。就诊时自述上腹痛，痛无定时，反复发作三个月。胃镜检查示慢性糜烂出血性胃炎。观其形体消瘦，行动自如，唯发作时痛难忍，察其舌质稍暗红，苔薄白、脉弦细。属脾虚血瘀证。予以党参15g、白术10g、茯苓15g、香附10g、五灵脂6g、莪术6g、麦芽10g、谷芽10g、炙甘草6g。六剂后，症状已减。守方再进六剂。三诊时，自诉症状基本消失，舌红苔薄脉细，嘱其服参苓白术散2～3月善后调理。半年后随访未有不适。

（卢致鹏. 中医药通报，2005；4〈3〉：38－40）

李庆明教授对痞满症辨治经验

痞满为心下痞塞满闷，按之濡软，外无行迹，不饥不食，是慢性胃炎最常见的主要症状，也是令患者痛苦不适，病情缠绵，易于反复的一种病症。笔者从长期的临床实践中体会到诊治慢性胃炎患者，如何辨治痞满症是重要的一环，也是解除患者痛苦的主要关键。

辨证论治是中医学的精髓，分清标本主次，辨明寒热虚实，施以温清补消之法，选方用药，其效甚佳。现扼要叙述如下：

一、湿困脾胃

胃脘不饥，恶心欲呕，肢体困倦，或头胀昏重，口渴不饮，舌苔白腻。若化热夹痰者，则口苦咽干，或痰吐黄稠，小便黄涩，舌苔黄腻。前者当以化湿，可用平胃散加石菖蒲、生苡仁、佩兰、白蔻仁、法夏等，后者则加蒲公英、黄芩清热之类。待湿热去后再调理脾胃。

二、肝郁脾虚

肝主疏泄，脾主运化。肝木郁而不伸，横逆犯胃土，肝胃之气不和，脾失运化，气机窒痹，脘胁痞满。治当理气开郁，健脾和中，用柴胡疏肝散合四君子汤。柴胡、白芍、香附、郁金、佛手、党参、白术、茯苓、炙甘草。

三、脾胃虚弱

饮食劳倦，损伤脾胃，或病后中气虚弱，或误下克伐伤中，使阳气不振，不能运化精微，聚而不散，胸脘痞满、喜热喜按，得热则舒，此为虚痞。宜温补脾胃，用补中益气汤或香砂六君子汤。若阳虚较甚，舌淡胖，苔白，脉缓弱，痞满，朝宽暮急，胀痛难忍者，可用附子理中汤温补脾胃。

四、饮食阻滞

胃虚不能消谷，脾虚不能运化，以至食久不化，不纳，不饥，胸脘满闷，腹中攻撑不和，嗳腐吞酸，或恶心腹痛，舌苔厚腻，治宜消食和中，用二陈汤加枳实、厚朴、山楂、鸡内金、莱菔子、布渣叶、木香之类。若大便不通，脉弦滑数者，为痰食内阻，可佐木香、槟榔、山楂、大黄。

五、气滞血瘀

病程已久，时反时复，脘腹胀满或疼痛，痛有定处，如刺如割，稍按则舒，久按则痛剧。面色黯黑，或萎黄不华，或有呕血黑便。舌紫暗，或有瘀点瘀斑，脉弦细涩。此类患者须考虑气滞血瘀，瘀阻胃络所致。在健脾益气的基础上宜加入理气化瘀通络之品，如香附、郁金、五灵脂、丹参、莪术等。

病案举例：

例1，潘某某，女，46岁。2001年9月初诊。上腹部隐痛，时作时止，伴脘腹胀满，餐后尤甚，已三个月，近日胃镜检查，胃黏膜病理报告“慢性浅表萎缩性胃炎并见较多白细胞浸润”，Hp（-）。患者形体消瘦，面色萎黄，舌淡红，苔薄白，脉细。证为脾胃虚弱，予陈夏六君子汤加麦芽、鸡内金、枳实、莪术主之。六剂后症减，仍以上法加黄芪，间断服用后诸症悉除。2002年9月30日复查胃镜病理报告为“慢性萎缩性胃窦炎”。

例2，黄某某，女，55岁。2002年3月初诊。因患者胃癌手术后用5-FU、丝裂霉素化疗，症见头昏、腹泻，每日3-4次稀烂便，纳呆。舌淡红，苔厚腻，脉缓，此为湿困脾胃，用菖蒲、佩兰、生苡仁、白术、茯苓、白蔻仁、谷芽、麦芽、神曲、砂仁。服三剂后，腹泻即止，随后再按原方加黄芪、菟丝子善后。

体会：《景岳全书·痞满》（明·张景岳）中说：“凡有邪有滞而痞者，实痞也；无邪无滞而痞者，虚痞也。实痞者可散可消；虚痞者非大加温补不可。此而错用，多致误人。”《类证治裁·痞满》（清·林佩琴）中说：“伤寒之痞，从外之内，故宜苦泄；杂病之痞，从内而外，故宜辛散。治伤寒热痞用苦寒药，大黄黄连泻心汤；治伤寒阴阳不和而痞，兼用寒热药，三黄加附子汤；治伤寒阴盛阳虚而痞，则辛甘药多而苦寒药少，半夏甘草生姜泻心汤。”《万病回春》（明·龚廷贤）中说：“夫痞满者，非痞块之痞也，乃胸腹饱闷不舒畅也，有气虚中满，有血虚中满，有食积中满，有脾泄中满，有痰膈中满，皆是七情内伤，六淫外侵，或醉饱饥饿失节，房劳过度，不能运化，故阳自升而阴自降而成天地不交之痞。”以上论述对痞满的病因病机及辨治均已明悉，对临床诊治病人可资参考。

痞满是慢性胃炎最常见的一种自觉症状，总的治则当以健脾开郁，理气化痰，不可妄行克伐。临证时又需辨证选方用药，应灵活机动，不可拘泥。此外，不可过服破气攻利之剂，恐伤正气，而痞满更甚。脾胃为本时必须注意，也是调理善后的根本。同时指导病者避免七情偏盛，注意饮食禁忌，劳逸结合也是防病治病的重要因素。

（钟　娃，阚方巨）

五灵脂对胃黏膜保护作用研究

五灵脂对胃黏膜保护作用的临床与实验研究

内容提要 用五灵脂治疗 34 例十二指肠溃疡病患者，6 周为 1 个疗程。结果：痊愈率 70.59%，总有效率 91.18%。通过大白鼠 Shay 模型动物实验，结果表明五灵脂对胃黏膜有保护作用。可能的作用机制是抑制胃液胃酸分泌，以及调节改善胃黏膜血流，增加胃黏膜的防御功能。

中药五灵脂为鼯鼠（Trpgopterus xanthipes）的干燥粪便，传统认为有行血止痛作用。我们在临床实践的基础上，对中药治疗消化性溃疡的有效方剂中分类筛选，发现其中五灵脂对胃黏膜有保护作用。现将临床与实验研究报道如下。

一、临床研究

（一）临床资料

全部病例经纤维胃镜检查证实为十二指肠溃疡（活动期），溃疡长径≥3mm，数目≤2 个，无幽门梗阻或大出血，无其他器官严重疾病。随机分为两组，治疗组 34 例，男 26 例，女 8 例；年龄 20～65 岁，平均 35.9 岁；病程 2 个月～20 年，平均 2.25 年。对照组 21 例，男 16 例，女 5 例；年龄 20～68 岁，平均 31.2 岁；病程 6 个月～16 年，平均 2.42 年。主要症状为胃脘部疼痛（疼痛程度：治疗组 1 级 24 例，2 级 10 例；对照组 1 级 13 例，2 级 8 例）。其次为嗳气、反酸。治疗前按全国中医内科学会脾胃病专业委员会1989年制定的胃脘痛诊断标准进行辨证分型，治疗组脾胃虚弱型18例，肝胃不和型12例，胃阴不足型4例。

（二）治疗方法

两组均住院治疗，治疗组用五灵脂胶囊（由我院药剂科制成胶囊），每次1粒（含生药15g），每日2次。对照组用雷尼替丁150mg，每日2次，两组均6周为1个疗程。治疗期间不再服用其他药物。治疗前及治疗结束后3天内检查血、尿、便常规，谷丙转氨酶、尿素氮及胃镜，记录溃疡部位、数目、大小及周围炎症情况。

（三）疗效评价

（1）胃镜评价标准：溃疡愈合，周围炎症消失为痊愈；溃疡愈合，周围炎症仍存在为显效；溃疡长径缩短50%以上为有效，溃疡长径缩短不足50%为无效。（2）腹痛分级参考标准。1级（轻度）：有痛，但不影响工作和生活，无需用药；2级（中度）：部分影响工作和生活，或需用药；3级（重度）：必须休息，用药无效。

（四）治疗结果　见表1

表1　两组动物十二指肠溃疡疗效比较(例%)

组别	例数	痊愈	有效	无效	总有效
治疗	34	24(70.59)	7(20.59)	3(8.82)	31(91.18)*
对照	21	15(71.42)	3(14.29)	3(14.29)	18(85.71)

注:与对照组比较，* P<0.05

中医证型与疗效关系：治疗组肝胃不和型12例，痊愈11例（占91.7%）；胃阴不足型4例，痊愈3例（占75.0%）；脾胃虚弱型18例，痊愈10例（占55.6%）；表明五灵脂对肝胃不和型的疗效最佳。

副作用：治疗组仅个别有轻微口干、便秘，未有因副作用而中断治疗者。治疗前后血、大小便常规，肝功能及尿素氮无明显变化。

二、实验研究

（一）五灵脂对胃黏膜的保护作用

实验动物用SD雄性大白鼠，体重150～220g，由本校实验动物场提供。配对分为五灵脂组和对照组，每组20只。胃溃疡模型制备，参照Shay法制备。术后即刻五灵脂组按100g体重用1ml五灵脂液（含生药1g）量计算作腹壁皮下注射1次；对照组则注射等量蒸馏水。实验后18h击头处死大白鼠，摘取全胃，观察溃疡发生的部位、形状、数目，测量每个溃疡的面积（长径×短径）及胃液量。实验结果见表2。

表2 两组动物溃疡发生数、溃疡面积、胃液量比较（$\bar{x} \pm s$）

组别	鼠数	溃疡发生鼠数	平均溃疡面积（mm^2）	平均胃液量（ml）
五灵脂	20	2^{**}	$3.10 \pm 2.14^{**}$	$1.40 \pm 0.882^{*}$
对照	20	18	50.02 ± 11.23	4.19 ± 1.092

注：与对照组比较，$*P<0.05$，$**P<0.01$

五灵脂组溃疡发生率及平均溃疡面积均非常显著低于对照组（$P<0.01$），而五灵脂组的平均胃液量亦低于对照组，有显著性差异（$P<0.05$）。

（二）五灵脂对大白鼠胃液及血清胃泌素的影响

实验方法同前。术后6h穿刺心脏取血2ml，剖腹取出鼠胃，记录胃液量并取胃液2ml备测。胃泌素测定由本院消化研究室采用放射免疫法检测，药盒由北京原子能研究所提供。结果见表3。

表3　两组动物血清及胃液胃泌素含量（$\bar{x}\pm s$）

组别	鼠数	血清胃泌素（pg/ml）	胃液胃泌素（pg/ml）	胃液量（ml）
五灵脂	20	372.50±38.66**	49.20±6.69	4.0±0.61*
对照	20	506.00±46.02	49.30±9.94	5.8±0.46

注：与对照组比较，*P<0.05，**P<0.01

五灵脂组之血清胃泌素及胃液分泌量显著低于对照组（P<0.01，P<0.05）。而两组胃液胃泌素比较，差异无显著性（P>0.05）。

（三）五灵脂对大白鼠胃黏膜血流的影响

实验动物、药物制配、动物模型制备与给药均同前。胃黏膜血流检测用Knight中性红清除法加以变通，并作胃黏膜组织活检。分别测定术后3h、5h的胃液分泌量及中性红清除率。实验结果见表4。

表4　各组胃液分泌量及中性红清除率比较（$\bar{x}\pm s$）

组别	鼠数	胃液分泌量（ml）	中性红清除率（%）
术后3h 五灵脂Ⅰ	10	0.64±0.073*	2.038±0.468**
对照Ⅰ	10	1.53±0.37	5.978±1.218
术后5h 五灵脂Ⅱ	10	1.37±0.32△	5.409±0.868△
对照Ⅱ	10	4.27±0.50	1.539±0.631

注：与对照组Ⅰ比较，*P<0.05，**P<0.01；与术后同时间对照Ⅱ，△P<0.01

胃黏膜活体组织检查结果：大鼠胃黏膜充血程度，五灵脂Ⅰ组10只均属轻度；对照Ⅰ组轻度者3只，中、重度者7只。五灵脂Ⅱ组有9只为轻度，1只为中度；对照Ⅱ组10只则全属轻度。

三、讨论

本研究临床观察结果，五灵脂治疗十二指肠溃疡，取得较好疗效，且无明显副作用。其痊愈率与雷尼替丁疗效无明显差异（P>0.05），但其总有效率却优于雷尼替丁（P<0.05），显示五灵脂治疗消化性溃疡有良好的前景。从中医证型来看，尤对肝胃不和型效果最好。

动物实验结果表明五灵脂对实验性胃溃疡的发生率、平均溃疡面积及胃液量显著低于对照组，说明五灵脂对胃黏膜有保护作用，并具有抑制胃泌素分泌的效能，同时五灵脂对胃黏膜血流也有明显的影响，对照组之血流表现为由多至少，黏膜充血由中度至重度变为轻度；而五灵脂组血流则由低至高，充血基本都为轻度。综上所述，提示该药的可能作用机理，一是抑制胃泌素释放，从而减少胃酸分泌对胃黏膜的损害；二是调节改善胃黏膜血流，增加胃黏膜的防御功能。因此，作为一种新的胃黏膜防御因子增强药用于临床，值得研究。

（李庆明．中国中西医结合杂志，1996；16〈2〉：90－92）

五灵脂对大白鼠胃液分泌及胃黏膜血流的影响

内容提要　本实验从胃液分泌与胃黏膜血流方面探索五灵脂预防实验性胃溃疡产生作用的可能途径。实验动物为大白鼠Shay模型，胃黏膜血流检测用Knight中性红清除法加以变通，并作胃黏膜组织活检。分别测定术后3h、5h的胃液分泌量及中性红清除率。结果表明，实验组的胃液分泌量均显著低于对照组。胃黏膜血流量对照组逐渐减少，黏膜充血由中、重度变为轻度；实验组血流量则由低至高增加，充血为轻度。提示该药的可能作用机理是抑制胃液胃酸分泌，以及调节改善胃黏膜血流。

70年代间，我们用补脾活血药黄芪、党参、白术、茯苓、甘草、五灵脂、香附为主方治疗消化性溃疡，取得75%的痊愈率与97%的总有效率；并通过实验研究，验证了本方有预防大白鼠实验性胃溃疡（Shay模型）的作用。以后，复经临床继续验证，其疗效与前述相似，有较稳定的可重复性。经过对本方药物的分类筛选，发现其中五灵脂有较显著之预防大白鼠胃溃疡产生的作用，这在国内尚未见有报道。本实验乃从测定胃液分泌量，参照knight氏中性红清除法加以变通，通过检测胃液中性红排出率以了解其胃黏膜之血流状况，以及胃黏膜组织活检等方面，以图探索五灵脂预防大白鼠实验性胃溃疡发生的可能途径。

一、材料与方法

（一）实验材料

1. 实验动物　由我校动物房提供SD雄性大白鼠，体重为150g～220g，配对分为五灵脂组（E组）和对照组（C组）两大组，每组20只。

2. 试剂与药物　中性红用蒸馏水配成0.25%溶液；五灵脂(市售用水煎两次，配成每100ml含生药100g的溶液，置冰箱中保存备用。

（二）实验方法

1. 绘制中性红标准浓度曲线　以大白鼠混合胃液将0.25%中性红溶液稀释为1、2、4……12mg%浓度之胃液中性红溶液。分别取各液1ml加入乙醚10ml 0.1N NaOH 0.5ml，匀摇10min。取出乙醚溶液8ml，置另一试管中，并加入0.1N HCl 4ml，继续摇匀，静置片刻，吸取浅红水相溶液以721型分光光度计比色(波长540nm)，依各数据，绘制出胃液中性红标准浓度曲线（经二元直线回归分析方法处理)。

2. 动物模型制备与给药　参照Shay法制备大白鼠实验模型。术前禁食48h，自由饮水。术后五灵脂组按100g体重用1ml

五灵脂液量计算作腹壁皮下注射；对照组则注射等容量蒸馏水。

3.中性红溶液注射　经动物舌底静脉注入，其剂量均为0.25%中性红0.5ml。将五灵脂组分为E_1、E_2两组，对照组分为C_1、C_2两组，每组动物10只。E_1、C_1为术后即注组，术后3h处死；E_2、C_2为术后3h注入组，术后5h处死。

4.胃液测定　按实验规定之时间处死动物，剖取全胃收集其胃液，离心后吸出上清液，测定液量。

5.胃液中性红检测　取胃液0.5ml，按测定标准浓度之方法处理后比色，从标准浓度曲线查出胃液中性红浓度乘以胃液量，以求出胃液中性红含量，并按下公式计算其清除率。

$$\text{中性红清除率}=\frac{\text{胃液中性红含量（mg）}}{\text{中性红注射量（mg）}}\times 100\%$$

6.胃黏膜组织活检：各组鼠胃用甲醛固定后，用双盲法送病理活检，按如下标准观察胃黏膜的充血情况。①轻度充血：黏膜充血呈灶性分布，仅少数血管扩张充血。②中－重充血：黏膜充血较广泛，大多数视野均可见扩张充血的血管，管腔较明显扩张。

二、结果

（一）胃液分泌量

见附表，五灵脂E_1、E_2组之胃液分泌量，均显著低于对照C_1、C_2组，P值分别<0.05与<0.01。

（二）胃液中性红清除率

见附表，五灵E_1组明显低于对照C_1组（$P<0.01$）；而五灵脂E_2组则明显高于对照组C_2组（$P<0.01$）。两者差异均为高度显著性。

（三）胃黏膜活体组织检查

结果鼠胃黏膜充血程度五灵脂E_1组10只均属轻度；对照

C_1 组轻度者3只，中－重度者7只。五灵脂 E_2 组有9只轻度，中度者1只；对照 C_2 组则全属轻度。

附表 各组胃液分泌量及胃液中性红清除率比较 ($\bar{x} \pm s$)

组别	胃液分泌量（ml）	中性红清除率（%）
五灵脂 E_1	$0.64 \pm 0.07^{*}$	$2.037 \pm 0.468^{**}$
五灵脂 E_2	$1.37 \pm 0.323^{\triangle}$	$5.409 \pm 0.868^{\triangle}$
对照 C_1	1.53 ± 0.372	5.978 ± 1.218
对照 C_2	4.27 ± 0.498	1.539 ± 0.631

注：与对照组 C_1 组比 * $P<0.05$，** $P<0.01$，与对照组 C_2 组比△ $P<0.01$

三、讨论

本实验结果提示五灵脂对大白鼠胃液分泌及其胃黏膜之血流，均有影响。

我们既往的实验资料已证实，含五灵脂药物实验组（均属18h剖验）的胃液分泌量，均显著低于对照组（$P<0.01$），而其PH值均显著高于对照组（$P<0.01$）。结合本实验结果（附表），无论是3h或5h剖验之五灵脂 E_1、E_2 组，其胃液分泌量在实验开始的5h以内，已显著低于对照 C_1、C_2 组（$P<0.01$），提示五灵脂是具有抑制胃液胃酸分泌的作用。

中性红清除法，是测定其由静脉注入后，经由胃黏膜壁细胞分泌入胃的泌出量与血液含量之比率，以检测胃黏膜血流的方法。本实验结果显示胃液中性红清除率，对照 C_1 组显著于高于五灵脂 E_1 组（$P<0.01$），而 E_2 组则显著高于 C_2 组（$P<0.01$）。胃黏膜充血程度，对照 C_1 组中至重度者占多数（7只），C_2 组则为轻度（10只）；五灵脂 E_1、E_2 组为轻度（10只、9只）。综合这分别于3h和5h剖验的数据来看，这些结果在一定程度上反映其胃黏膜血流的变化情况。对照组之血流表现为由多至少，黏膜充血由中至重度为轻度；五灵脂组血流则由低至高，

充血基本都为轻度。据组织受损早期微动脉扩张血流增加，继而引起毛细血管瘀滞血流量减少的机理来看，本实验对照组（C_1、C_2 组）的胃黏膜血流变化即呈这种现象，提示大鼠在幽门结扎后存在胃黏膜的微循环障碍。而使用五灵脂后，对上述异常反应起了调节改善作用，血流增加且未发生黏膜异常的重度充血，从而增强胃黏膜的抗损害功能。

Brodie 指出，结扎大白鼠幽门所产生的胃酸分泌增高，是由于刺激胃窦部黏膜之压力感受器激动了迷走神经反射所致，并与幽门结扎造成幽门梗阻刺激胃泌素释放有关。五灵脂之抑制胃液分泌是否与抑制迷走神经兴奋或抑制了胃泌素的释放有关，尚有待于进一步探索。

中药五灵脂是活血祛瘀药，是临床上用以活血化瘀止痛的有效药物，本研究结合以往的资料，初步提示本药是通过抑制胃液胃酸分泌以及调节改善胃黏膜之血流增强其抗损害功能这两个途径而产生其预防胃溃疡发生的效能。因此，进一步对本药在临床和实验上作更深的研究具有一定的价值。

（李庆明．中西医结合杂志，基础理论研究特集．1990；86－88）

Clinical and Experimental Study on the Protection of Gastric Mucosa by Faeces Trogopterus

ABSTRACT Objective: To evaluate the protective effect of Faeces Trogopterus (FT) on gastric mucosa. Methods: Thirty-four patients of gastric ulcer were treated with FT and compared with a control group treated with Ranitidine. In the experimental study, the Shay model of rats was used. Results: The curative rate of FT in treating duodenal ulcer of six weeks was 70.59% and the total effective rate was 91.81%. Results of the experimental study showed the protective effects of FT on gastric mucosa. Conclusion: FT could inhibit gastric secretion and regulate gastric mucosal blood flow so as to enhance mucosal defense.

Faeces Tropterus (FT) in originated from the dry dung of Trogopterus xanthipes. It is considered in traditional Chinese medicine (TCM) to have the action of activating blood circulation and alleviating pain. Based on clinical practice, the authors screened out the effective Chinese drugs and prescriptions for digestive ulcer treatment and found that FT possesses protective effect on gastric mucosa. The clinical and experimental report is as follows.

CLINICAL STUDY

Clinical Data

All cases were diagnosed by gastro fiberscope as duodenal ulcer in active stage, with ulcer in active stage, with ulcer≥3mm in long diameter, and≤2 in number, without pyloric obstruction, massive hemorrhage of other serious organic diseases.

Patients were divided into two groups at random. Of the 34 cases in the FT group, 26 were male and 8 female, their age ranging from 20 to 65 years, 35.9 years in average, and their duration of disease was from 2 months to 20 years, 2.25 years in average. Of the 21 cases in the control group, 16 were male and 5 female, their age ranging 20~68 years, 31.2 years in average, and their duration of disease was from 6 months to 16 years, 2.42 years in average.

The chief symptom of the patients was epigastria pain, with, secondly, belching and acid regurgitation. Severity of epigastria pain was classified into 3 degrees: (1) Degree Ⅰ (mild degree): the pain was not so serious as to affect daily work and life of the patients, and medication was unnecessary; (2) Degree Ⅱ (moderate degree): the pain affects the patient's work and life to a certain degree, and medication was necessary; (3) Degree Ⅲ (intensive degree): the patients had to be at rest and the pain can't be relieved by medication.

In the FT group, the severity of pain was degree Ⅰ in 24 cases, degree Ⅱ in 10. In the control group, it was 13 and 8 in degree Ⅰ and Ⅱ respectively.

Syndrome Differentiation was made before treatment according to the Standard of Diagnosis and Treatment of Epigastria Pain formulated by the Specialty Commission of Spleen-Stomach diseases, China TCM Association of Internal Medicine, 1989. There were 18 cases of Spleen-Stomach Deficiency type, 12 cases of Liver-Stomach In coordination type and 4 of Stomach-Yin Insufficiency type in the FT group.

Treatment Method

All the patients were hospitalized. FT capsule, prepared by the pharmaceutical department of the author's hospital, each capsule containing 5 g of FT, was given to the FT group, 1 capsule each time, 3 times daily. For the control group, Ranitidine 150 mg was given twice daily. Six weeks constituted one treatment course for both groups with all other medicine suspended during this period.

Parameters Observed

Routine test of blood, urine, stools, measurement on glutamic-pyruvic transaminase and urea nitrogen were performed before and after treatment (within 3 days). And the position, number, size and situation of peripheral inflammation of ulcer were recorded as well by means of gastro fiberscopic examination.

Criteria of Therapeutic Effect

The following standard was adopted: (1) Cured: Ulcer healed and peripheral inflammation disappeared; (2) Effective: Ulcer healed but the peripheral inflammation still existing or ulcer alleviated with its long diameter reduced by≥50%; (3) Ineffective: Long diameter of ulcer reduced by less than 50%.

Results of Treatment

1. Curative effect on ulcer: Among 34 cases in the FT group, 24 cases (70.59%) were cured, 7 (20.59%) effective and 3 (8.82%) ineffective, while in 21 cases in the control group, the respective numbers were 15 (71.42%), 3 (14.29%) and 3 (14.29%). The totam effective rate of the two groups were 91.18% and 85.715, comparison between them showing significant statistical difference ($P<0.05$).

2. Relationship between TCM Syndrome Differentiation and curative effect of FT: The cases of cured in the FT group were 11 in the total 12 cases (91.7%) of Liver-Stomach In coordination type, 3 in 4 (75.0%) of Stomach-Yin Insufficiency type and 10 in 18 (55.6%) of Spleen-Stomach Deficiency type. The results showed that FT was superior in treating Liver-Stomach Incoordiantion type.

3. Side effects: Slight dry mouth and constipation occurred in only a few patients. But suspension of FT treatment on account of these side effects was unnecessary. The routine examination of blood, urine, stools, liver functions and urea nitrogen showed no

evident change after FT treatment.

EXPERIMENTAL STUDY

Animals

SD male rats, weighting 150～220g, supplied by experimental animal ranch of Sun Yat-sen University, were divided in matched pairs into FT group and control group, 20 for each group.

Experiment on Protective Effect of FT on Gastric Mucosa

The model of gastric ulcer was prepared by Shay method. For the FT group, FT solution 1 ml (containing 1g of crude drug) was injected into abdominal wall subcutaneously immediately after operation. For the control group equal volume of distilled water was injected instead of FT solution. Animals were sacrificed after 18 hours and their whole stomach were excised for observation as to the positing, shape and number of gastric ulcer. The size (long diameter × short diameter) of ulcer as well as the volume of gastric juice were measured simultaneously.

Results showed that in the FT group gastric ulcer occurred in 2 rats, $3.10 \pm 2.14mm^2$ in size (expressed by mea value ± standard deviation hereinafter), while in the control group, gastric ulcer occurred in 18 rats, $50.02 \pm 11.23mm^2$ in size, and the differences between the two groups in ulcer occurrence rate and size were significant, $P<0.01$.

The volume of gastric juice in the FT group (1.40 ± 0.88ml) was also less than that in the control group (4.19 ± 1.09ml) significantly, $P<0.05$.

Experiment on Effect of FT on Level of Gastrin in Blood and Gastric Juice

The experimental method was the same as the former. Six hours after operation, 2ml of blood collected by heart puncturing and 2 ml of gastric juice from stomach of animal were taken for gastrin measurement, the volume of gastric juice was also recorded. Gastrin was determined by radioimmunoassay with test kit supplied by Beijing Institute of Atomic Energy.

Results showed that the serum gastrin of the FT group was 372.50 ± 38.66 pg/ml, that of the control group was 506.00 ± 46.02pg/ml, and the level was much lower in the former than that in the latter, the difference being significant, $P<0.01$. The gastrin levels in the gastric juice of the FT and control group were 49.20 ± 6.69 pg/ml and 49.30 ± 9.94 pg/ml respectively, with no difference found in the comparison of the two groups. As for the volume of gastric juice, it was 4.0 ± 0.61 ml in the FT group and 5.8 ± 0.46ml in the control group, the difference being significant, $P<0.05$.

Experiment of Effect of FT on Blood Flow in Gastric Mucosa

Methods of animal model establish and drugs preparation and treatment were same as former. Blood flow of gastric mucosa was determined by accommodate Knight neutral red clearing method. The volume of gastric juice secretion (VGJS) and neutral red clearing rate (NRCR) were determined 3 hours and 5 hours after operation separately. The results were listed in the following table.

Table 1 Comparison of the Two Groups in VGJS and NRCR($n=10,\bar{x}\pm s$)

T. Group	VGJS(ml)	NRCR(%)
3h FT	$0.64\pm0.07^{*}$	$2.038\pm0.468^{**}$
Control	1.53 ± 0.37	5.978 ± 1.218
5h FT	$1.37\pm0.32^{\triangle}$	$5.409\pm0.868^{\triangle}$
Control	4.27 ± 0.50	1.539 ± 0.631

Notes: * $P<0.05$, ** $P<0.01$, compared with control group, 3h after operation; △$P<0.01$, compared with control group, 5h after operation

Biopsy of gastric mucosa was taken for examination simultaneously, and the results displayed that the degree of gastric mucosa congestion of rats was mild three hours after operation in all the 10 rats of the FT group, while in 10 rats of the control group gastric mucosa congestion was mild in 3, moderate in 7 and intensive in 7. Five hours after operation, the congestion in 9 of the FT group was mild and in 1 was moderate, while in the control group, mild congestion was revealed in all the 10 rats.

DISCUSSION

Results of the clinical observation of this study showed that FT displayed a good curative effect in treating duodenal ulcer with no marked side effect observed. Though compared with the effect of Ranitidine, the curative rate of FT was not different to that of Ranitidine ($P>0.05$), the total effective rate of the FT group was better than that of the control group ($P<0.05$), indicating a good prospect of FT in treating duodenal ulcer, particularly in treating patients of the Liver-Stomach In coordination type.

Results of the animal experiment showed that the occurrence rate and mean size of the ulcer and volume of the gastric juice in rats of the FT group were significantly lower than those of the control group, exhibiting the effect of FT in protecting gastric mucosa and inhibiting gastrin secretion. Experiment also showed the influence of FT on blood flow of gastric mucosa. In the control group, the blood flow changed from abundance to insufficiency, and the degree of congestion turned from moderate of intensive to mild; while in the FT group, the blood flow changed from insufficiency to abundance, the degree of congestion remained basically in mild degree all the time.

In sum, it is suggested that FT might have such mechanisms as: (1) To inhibit the release of gastrin so as to reduce the secretion of gastric acid and protect the gastric mucosa. (2) To regulate and improve the blood flow of gastric mucosa so as to enhance the defense action of gastric mucosa. Therefore, FT, as a new defense-factor-enhancing agent for gastric mucosa in clinical practice, is worthy to be studied further.

(LI Qing-ming. CJIM, 1997; 3 〈3〉: 199－202)

五灵脂对大白鼠胃液及血清胃泌素的影响

我们以往的工作已发现中药五灵脂对大白鼠实验性胃溃疡的产生有较显著的预防作用，并提示五灵脂是通过抑制胃酸分泌，以及改善胃黏膜血流，从而增强胃黏膜抗损害功能而产生其防治胃溃疡的效能。本研究通过测定胃液分泌及血清胃泌素的含量，以探讨五灵脂抗溃疡的作用与胃泌素分泌的关系。

一、材料与方法

实验动物由我校提供，用SD雄性大白鼠，配对分为五灵脂组（E组）和对照组（C组），每组20只。胃溃疡模型制备，参照Shay法制备。术后五灵脂组按100g体重用1ml五灵脂液（含生药1g）量计算作腹壁皮下注射，对照组则注射等容量蒸馏水。术后6h穿刺心脏取血2ml，剖腹取出鼠胃，记录胃液量并取胃液2ml备测。胃泌素测定由我院消化研究室采用放射免疫法检测，药盒由北京原子能研究所提供。

二、结果

实验结果表明，五灵脂组之血清胃泌素及胃液分泌量显著低于对照组（P＜0.01，P＜0.05），而两组胃液胃泌素比较，差异无显著性（P＞0.05）（附表）。

附表 血清－胃液胃泌素及胃液分泌量

	血清胃泌素（pg/ml）	胃液胃泌素（pg/ml）	胃液（ml）
E组	372.50±38.66	49.20±6.69	4.0±0.61
C组	506.00±46.02	49.30±9.94	5.8±0.46
t	3.1411	0.2360	2.3820
P	＜0.01	＞0.05	＜0.05

三、讨论

胃泌素主体由胃窦黏膜的G细胞所分泌，G细胞能制造胃泌素并贮存于胞浆的颗粒，在刺激后释入血流，然后刺激壁细胞泌酸。胃泌素主要是在迷走神经刺激以及胃窦受机构性扩张时分泌的。结扎大白鼠幽门所产生的胃酸分泌增高，是由于刺激胃窦黏膜之压力感受器激动了迷走神经反射所致。本实验结果，五灵脂组之血清胃泌素显著低于对照组，表明五灵脂具有抑制胃泌素分泌的效能。由于此作用，从而抑制胃液胃酸分泌。诚然，五灵脂是直接抑制胃窦 G 细胞内分泌胃泌素，还是通过抑制迷走神经减少胃泌素释放，有待进一步研究。胃液中的胃泌素与血循环中的胃泌素一样，是由 G 细胞分泌的，大部分 G 细胞具有内分泌功能，少数可能有旁分泌或外分泌功能。胃液中的胃泌素可能是从 G 细胞邻近的细胞间隙弥散入胃腔内。本文资料，两组胃液胃泌素差异无显著性，可能是五灵脂抑制胃泌素的分泌与其外分泌的途径关系不大。

（李庆明，邓宇飞．中山医科大学学报，1991；〈12〉：4）

五灵脂萃取物对实验性胃溃疡及胃酸分泌的作用

摘要 五灵脂（简称 WLZ）经加工后萃取出 4 个部分；WLZ－A、B、C、D，用 Shay 模型和利血平模型研究五灵脂保护胃黏膜作用的有效成分及其作用机制。实验结果：WLZ－B 组的胃液量、胃酸酸度和总分泌量均少于空白对照组（$P<0.01$），而且存在量效关系；两种模型 WLZ－B 组的黏膜损伤指数均小于空白对照组（$P<0.01$）。表明 WLZ－B 具有抑制胃酸分泌，保护胃黏膜，预防实验性胃溃疡的作用。

中药五灵脂（faeces trogopterori）是鼯科动物橙足鼯鼠干燥的粪便，具有活血、散瘀、止痛的功效。以前的研究表明该药对大鼠实验性胃溃疡的产生具有显著抑制作用，并提示五灵脂是通过抑制胃酸分泌及改善胃黏膜血流量从而增加胃黏膜抗损伤的能力而起作用。为进一步研究该药（以下简称 WLZ）抗溃疡、保护胃黏膜作用的有效成分，我们将其加工后提取出 4 个部分：氯仿萃取物（WLZ－A）、乙酸乙脂萃取物（WLZ－B）、正丁醇萃取物（WLZ－C）及水溶残渣部分（WLZ－D），通过动物实验筛选其作用的有效部分。初步研究结果表明 WLZ－B 具有抑制胃酸分泌、保护胃黏膜、预防实验性胃溃疡的作用。

一、材料和方法

（一）主要材料

五灵脂萃取物 WLZ－A、B、C、D4 部分（由中山医科大学天然药物化学教研室提供）；利血平（reserpine，上海医科大学红旗制药厂生产，950304）；雷尼替丁（ranitidine，杭州民生药厂生产，950128－1）；吐温 80；戊巴比妥钠；2％酚红指示剂。Sprague－Dawley 大鼠（广东省卫生厅实验动物中心提供，合格证编号：94022）。

（二）实验方法

1.WLZ 对幽门结扎所致急性胃溃疡的影响按照 Shay 模型制作方法，取体重 160－200g 的 SD 雄性大白鼠 120 只，随机分成空白对照组（生理盐水），WLZ－A、B、C、D 以及雷尼替丁（ranitidine）对照组。术前禁食，但可以自由饮水。24h 后用 0.86％的戊巴比妥钠（43mg/kg）腹腔注射麻醉，剖腹结扎幽门，关腹后立即腹腔注射给药。手术后禁食、禁水，10h 后颈椎脱臼处死大鼠，剖腹结扎贲门，取胃在蒸馏水中漂洗后用定性滤纸吸干。沿胃大弯切开放出胃液，用定性滤纸过滤后收集入试管中。将胃放入 2％的甲醛中固定 10min，然后平铺于白纸上，观察溃疡、糜烂出血点发生的部位、大小、形状并计算黏膜损伤指数。

黏膜损伤指数计分参考 Guth 方法，以糜烂点直径的大小分 5 个等级决定各等级的溃疡点数，通过累积定出黏膜损伤指数，即：斑点样糜烂＝1，糜烂点≤1mm＝2；糜烂点直径介于 1～

2mm＝3；2～4mm＝4；＞4mm＝5。

胃酸滴定：将过滤后的胃液置入高速离心机离心后取上清液1ml，加蒸馏水9ml稀释，加入2%酚红指示剂3滴，用0.01mol/L氢氧化钠溶液滴定至不变色为止。并计算胃液量（mL）、胃酸酸度（mmol/L）和总分泌量（mmol）。

2.WLZ对利血平所致急性胃溃疡的影响　参考Adami的方法：SD大鼠重160～200g，雌雄各半共56只，随机分成空白对照（生理盐水）、ranitidine和WLZ－A、B、C、D7组（其中WLZ－B有40mg/kg和80mg/kg两组）。实验前禁食，自由饮水。24h后腹腔注射WLZ、生理盐水或ranitidine。0.5h后再腹腔注射reserpine（5mg/kg），5h后重复注射WLZ、生理盐水或ranitidine1次，量同前。12h后颈椎脱臼处死大鼠，取出胃沿胃大弯切开，放入2%的甲醛中固定10min，然后将胃漂洗干净，平铺于白纸上观察黏膜损伤情况：包括溃疡、糜烂出血点等，损伤指数计分同上，并计算溃疡个数和溃疡抑制率。

$$溃疡抑制率=\frac{对照组溃疡数-实验组溃疡数}{对照组溃疡数}\times 100\%$$

（三）统计学处理

方差齐用随机分组的F检验，均数的两两比较用q检验（Newman－Keuls法）；方差不齐用秩和检验（H检验），两两比较的秩和检验用T检验。

二、实验结果

（一）WLZ对幽门结扎所致急性胃黏膜损伤的拮抗作用

实验结果表明，WLZ各部分（均相当于WLZ生药10g/kg）中，WLZ－A、B两部分对幽门结扎所致急性胃黏膜损伤具有一定的抑制作用，WLZ－C、D两部分的作用则不明显（表1）。增大WLZ－A、B的剂量后（相当于WLZ生药40g/kg），WLZ－B

的作用优于 WLZ－A（表 2，表中 WLZ－A、B 两组比较 P<0.05）。

表 1 WLZ 对幽门结扎大鼠胃黏膜损伤的影响

组别	动物数（只）	药量（mg/kg）	黏膜损伤指数 $\bar{x} \pm s$	黏膜损伤指数 M[3]
空白对照	16		23.75±15.52	18
ranitidine	16	50	4.13±3.24[1]	4
WLZ－A	8	20	21.50±33.37[1),2]	3
WLZ－B	16	15	2.88±3.36[1),2]	2.5
WLZ－C	8	65	39.88±48.27	11.5
WLZ－D	8	173	24.50±29.18	14.5

[1] 与对照组比较，P<0.01；[2] 与雷尼替丁组比较，P>0.05；[3] M 为中位数，下同

表 2 WLZ－A、B 对幽门结扎大鼠胃黏膜损伤的影响

组别	动物数（只）	药量（mg/kg）	黏膜损伤指数 $\bar{x} \pm s$	黏膜损伤指数 M
空白对照	16		23.75±15.52	18
ranitidine	16	50	4.13±3.24[1]	4
WLZ－A	16	80	7.19±8.92[1),3]	3
WLZ－B	16	60	1.13±2.28[1),2]	0

[1] 与对照组比较，P<0.01；[2] 与雷尼丁组比较，P<0.05；[3] 与雷尼替丁组比较，P>0.05

WLZ－B 剂量增大后，对黏膜损伤的拮抗作用也增强，而且可能在 120mg/kg 以下存在着量效关系（表 3）。

表 3　WLZ－B 对幽门结扎大鼠胃黏膜损的影响

组别	动物数（只）	药量（mg/kg）	黏膜损伤指数 $\bar{x} \pm s$	M
空白对照	16		23.75 ± 15.52	18
ranitidine	16	50	4.13 ± 3.24 1)	4
WLZ－B	16	15	2.88 ± 3.36 1),3)	2.5
WLZ－B	16	60	1.13 ± 2.28 1),2)	0
WLZ－B	16	120	3.00 ± 4.32 1),3)	1.5

1) 与对照组比较，P＜0.01；2) 与雷尼替丁组比较，P＜0.05；3) 与雷尼替丁组比较，P＞0.05

（二）WLZ 对胃酸分泌的影响

WLZ 各组（均相当于 WLZ 生药 10g/kg）大鼠的胃液量、胃酸酸度和总分泌量与对照组比较均 P＞0.05，无显著性差异，各组之间相互比较均 P＞0.05，也无显著性差异。但 WLZ－A、B（相当于 WLZ 生药 40g/kg）和 WLZ－B（相当于 WLZ 生药 8g/kg）和对照组比较 P＜0.05，表明 WLZ－B 较大剂量组抑制胃酸分泌的作用显著优于较小剂量组。但 WLZ－B 组和 ranitidine 组比较 P＜0.05，说明在抑制胃酸分泌方面 WLZ－B 较雷尼替丁作用差（表 4、表 5）。

表 4　WLZ－A、B 对大鼠胃酸分泌的影响

组别	动物数	药量 (mg/kg)	胃液量 (mL)($\bar{x} \pm s$)	酸度 ($\bar{x} \pm s$)	总分泌量 (mmol)($\bar{x} \pm s$)
空白对照	16		10.64 ± 1.78	10.79 ± 1.69	114.10 ± 25.15
雷尼替丁	16	50	6.05 ± 1.34 1)	9.09 ± 1.53 1)	55.65 ± 16.70 1)
WLZ－A	16	80	8.83 ± 1.48 2)	9.58 ± 1.09 2)	83.33 ± 12.52 1)
WLZ－B	16	60	8.20 ± 2.62 1)	8.31 ± 1.58 1)	70.45 ± 33.65 1)3)

1) 与对照组比较,P＜0.01;2) 与对照组比较,P＜0.05;3) WLZ－A、B 两组胃酸总分泌量比较,P＜0.01

表 5 WLZ－B 对大鼠胃酸分泌的影响（$\bar{x} \pm s$）

组别	动物数	药量 (mg/kg)	胃液量（mL）	酸度	总分泌量 (mmol)
空白对照	16		10.64±1.78	10.79±1.69	114.10±25.15
雷尼替丁	16	50	6.05±1.34[1)]	9.09±1.53[2)]	55.65±16.70[1)]
WLZ－B	16	80	9.74±2.34[3)]	10.13±1.43[4)]	110.55±33.16[3)]
WLZ－B	16	60	8.20±2.62[1),3)]	8.31±1.58[1),4)]	70.45±33.65[1),4)]
WLZ－B	16	120	8.27±2.27[1),3)]	9.19±1.86[2),4)]	77.78±29.75[1),4)]

[1)]与对照组比较，P＜0.01；[2)]与对照组比较，P＜0.05；[3)]与雷尼替丁比较，P＜0.01，[4)]与雷尼替丁比较，P＞0.05

（三）WLZ 对利血平所致急性胃黏膜损伤的拮抗作用

表 6 表明 WLZ 各部分中 WLZ－B 对利血平所致急性胃黏膜损伤有较显著的抑制作用。

表 6 WLZ 对利血平所致急性胃黏膜损伤的影响（$\bar{x} \pm s$）

组别	动物数	药量 (mg/kg)	黏膜损伤指数 ($\bar{x} \pm s$)	溃疡个数 ($\bar{x} \pm s$)	溃疡抑制率（%）
空白对照	8		43.25±18.54	24.13±10.78	
雷尼替丁	8	50	7.38±6.28[1)]	4.25±3.37[1)]	82.38
WLZ－A	8	580	24.13±7.18	14.88±4.39	38.34
WLZ－B	8	40	6.63±6.91[1),2)]	4.38±4.67[1),2)]	81.87
WLZ－B	8	80	3.13±4.70[1),2)]	1.88±2.36[1),2)]	92.22
WLZ－C	8	130	27.38±10.41	18.38±10.88	23.83
WLZ－D	8	350	25.75±8.08	17.13±5.84	29.02

[1)]与对照组比较，P＜0.01；[2)]与雷尼替丁组比较，P＞0.05

三、讨论

本课题是将五灵脂加工后提取出 4 个部分 WLZ－A、B、C、D，研究分析其对胃黏膜有保护作用的有效成份。结果表明两种模型 WLZ－B 组的黏膜损伤指数均少于对照组。WLZ－B 两种剂量（40mg/kg、80mg/kg）对利血平模型的溃疡抑制率分别为81.87%和92.22%。WLZ－B组的胃液量、胃酸酸度和总分泌量均低于对照组，表明WLZ－B具有抑制胃酸分泌、保护胃黏膜、预防实验性胃溃疡的作用。Shay模型的原理主要是结扎幽门，使胃液在胃中滞留，由于消化力的作用而使其产生溃疡。因此Shay认为消化性溃疡是由于胃液的消化作用而生成。以往的实验已表明WLZ能抑制胃酸分泌。本研究进一步揭示WLZ－B具有这一作用，提示其有效成份可能是WLZ－B。

利血平是一类主要作用于去甲肾上腺素能神经末梢的抗高血压药。它能使迷走神经张力增高而使胃酸分泌增加，胃肠运动增加，从而加剧或引起胃及十二指肠溃疡或胃肠道出血。同时利血平能耗竭中枢及外周神经以及其他组织的多巴胺。动物实验表明多巴胺及其拟似物具有不依赖前列腺素（PG）的保护作用，被视为“多巴胺细胞保护作用”。多巴胺神经毒则使多巴胺能神经元死亡，导致多巴胺下降致溃疡形成。由此可见WLZ－B拮抗利血平所致溃疡的可能机理是降低迷走神经张力，从而减少胃酸分泌，起到类似“多巴胺细胞保护作用”的效果，或者说能够防止多巴胺的消耗而抑制溃疡发生。

黏膜血液循环的障碍也是消化性溃疡形成的主要因素之一。WLZ能增加胃黏膜血流量，WLZ－B具有抗血小板聚集活性和消炎镇痛作用，并能增加纤溶酶活性，说明WLZ－B保护胃黏膜的机理与上述作用有关。

(程志安，李庆明．中山医科大学学报，1997；18〈1〉：47－50)

五灵脂提取物对胃黏膜保护作用的研究

本项目是以中药五灵脂经植化提取，通过动物实验，筛选出对胃黏膜起保护作用的有效部分。

五灵脂购自广州市药材公司，经广东省药检验所鉴定，符合《中国药典1990年版。规定。实验动物由广东省卫生厅医用实验动物场提供SD雄性大白鼠，体重150g～200g。胃溃疡模型参照Shay法和利血平所致急性胃黏膜损伤模型。胃黏膜损伤指数判定按溃疡或糜烂面积累积计分，并作胃酸滴定测定。统计学处理，偏态分布采用H检验，正态分布用t检验。

第一步，从五灵脂提取出四个部分。分别为氯仿（WLZ－A)、乙酸乙酯（WLZ－B)、正丁醇（WLZ－C）和水提残渣部分（WLZ－D)。WLZ－B对利血平所致急性胃黏膜损伤的抑制作用，生理盐水对照组大鼠胃黏膜损伤指数及每只动物溃疡发生数分别为43.2±18.5；24.13±10.78。雷尼替丁组为7.38±6.28；4.25±3.37。WLZ－B低剂量组（相当于生药10g/kg体重）为6.63±6.90；4.38±4.69。高剂量组（相当于生药40g/kg体重）为3.13±4.70；1.63±1.78。WLZ－B低剂量和高剂量组其黏膜损伤指数及溃疡发生数均非常显著低于对照组（$P<0.01$)。而WLZ－B高剂量组的溃疡发生数亦小于雷尼替丁组($P<0.05$)。对大白鼠实验性胃溃疡的影响，生理盐水对照组胃黏膜损伤指数为12.06±13.94。雷尼替丁组为4.00±3.59。WLZ－B低剂量和高剂量组分别为3.00±3.70，1.57±4.23，均明显小于对照组（$P<0.01$)。而WLZ－B高剂量组的黏膜损伤指数亦明显小于雷尼替丁组（$P<0.05$)。对胃酸分泌的影响，WLZ－B组（相当于生药40g/kg体重和80g/kg体重）胃液量、胃酸酸度和总酸度明显小于对照组（$P<0.01$)。表明WLZ－B有抑制胃液、胃酸分泌的作用。并呈量效关系。

第二步，从五灵脂的乙酸乙酯提取物分离出三个部分。分别为碳酸氢钠（WLZ－B_1)、氢氧化钠提取部分（WLZ－B_2）和中性部分（WLZ－B_3)。此三部分对利血平所致急性胃黏膜损伤均有抑制作用。其黏膜损伤指数分别为 20.70±16.49；27.70±12.99；26.59±14.43。各组指数均小于生理盐水对照组（76.25±50.56）（P＜0.01）。但以 WLZ－B_1 的胃黏膜损伤抑制率最高(72.8%)。对大白鼠实验性胃溃疡的影响，WLZ－B_1 三个剂量组（相当于生药 20g/kg 体重、40g/kg 体重、80g/kg 体重），其胃黏膜损伤指数依次为 35.38±31.39；9.50±10.20；1.63±1.92。后二组黏膜损伤指数均小于生理盐水对照组（47.00±31.38）（P＜0.01）。并呈量效关系。后一组黏膜损伤指数亦小于雷尼替丁组（20.50±16.44）（P＜0.01）。其黏膜损伤指数小于雷尼替丁组（20.50±16.44）（P＜0.01）。其黏膜损伤抑制率为 96.5%。对胃液 pH 的影响，WLZ－B_1 组（相当于生药 80g/kg 体重）pH 为 2.43±0.14，高于生理盐水对照组（1.90±0.62）（P＜0.05）。

实验结果表明，WLZ－B_1 对胃黏膜有显著的保护作用；对胃酸分泌有抑制作用。这与作者以往的临床和实验研究结果相一致。利血平所致的急性胃黏膜损伤，其主要机理是增加胃液、胃酸分泌。幽门结扎大鼠消化性溃疡的成因，首先是局部血流障碍，其次才是胃酸的作用。而 WLZ－B_1 能对抗利血平及幽门结扎所引起的胃黏膜损害，提示其作用机理除减少胃酸分泌外，还有疏通微循环，改善胃黏膜血流作用，从而增强胃黏膜的防御功能。本项目研究结果在国内为首次报道。

（李庆明，程志安.中国学术期刊文摘，1996；2(6)：116－117）

五灵脂对胃黏膜保护作用及其有效成分的研究

本研究是以中药五灵脂为原料，经植化提取，通过动物实验，筛选出对胃黏膜保护作用的有效成分。

一、材料和方法

(一) 材料

五灵脂购自广州市药材公司，经广东省药品检验所鉴定，符合《中国药典1990年版》规定。SD大鼠，由广东省卫生厅医用实验动物场提供，体重150g～200g。五灵脂植化提取由中山医科大学天然药物化学研究室提供。

(二) 方法

胃溃疡模型参照Shay法和利血平所致急性胃黏膜损伤模型Adami等方法。胃黏膜损伤指数判定按溃疡或糜烂面积计分参考Gath等方法。五灵脂有效成分鉴别作薄层层析法及光谱鉴定。统计学处理：方差齐用方差分析，多个样本均数间的比较用Newman－keuls法，方差不齐用秩和检验。

二、结果

(一) 五灵脂经加工提取出出4个部分，分别为WLZ－A、WLZ－B、WLZ－C、WLZ－D。

通过动物实验大白鼠Shay模型，及对利血平所致急性胃黏膜损伤抑制作用，结果显示WLZ－B能明显减少实验动物胃黏膜损伤指数及溃疡发生数。与对照组比较（$P<0.01$），与雷尼替丁组比较（$P<0.05$）。WLZ－B的胃液量，胃酸酸度和总酸度均少于对照组（$P<0.01$）。表明WLZ－B具抑制胃酸分泌，对胃黏膜有显著的保护作用。(见表1、表2、表3)

表1　各组动物黏膜损伤指数比较（SHAY模型）

组别	动物数(只)	剂量(mg/kg)	黏膜损伤指数	
			($\bar{x}\pm s$)	中位数
对照组	16		12.06±13.94	8
雷尼替丁组	8	50	4.00±3.59	4
WLZ－A组	8	20	21.50±33.37	3
WLZ－B组(低剂量)	8	15	3.00±3.70△	2.5
WLZ－B组(高剂量)	16	60	1.75±4.23*	0
WLZ－C组	8	65	18.88±29.00	5.5
WLZ－D组	8	172	39.88±48.27	11.5

采用秩和检验,与对照组比较△P＜0.01,与雷尼替丁组比较,＊P＜0.05

表2　各组动物黏膜损伤指数,溃疡发生数比较(利血平致急性胃黏膜损伤模型)

组别	动物数(只)	剂量(mg/kg)	黏膜损伤指数		每只动物溃疡发生数	
			($\bar{x}\pm s$)	中位数	($\bar{x}\pm s$)	中位数
对照组	8		43.25±18.54	43	24.13±10.78	22.5
雷尼替丁组	8	50	7.38±6.28	6	4.25±3.37	3
WLZ－B组(低剂量)	8	15	6.63±6.90△	3.5	4.38±4.69△	3
WLZ－B组(高剂量)	8	60	3.13±4.70△	1.5	1.63±1.78*	1.5

采用秩和检验,与对照组比较△P＜0.01,与雷尼替丁组比较＊P＜0.05

表3　WLZ－B对大鼠胃酸分泌的影响

组别	动物数	药量	胃液量(ml) ($\bar{x}\pm s$)	酸度(mEq/ml) ($\bar{x}\pm s$)	总酸度(mEq) ($\bar{x}\pm s$)
对照组	16	10ml/kg	10.64±1.78	10.79±1.69	114.10±25.15
Ranitidine	16	50mg/kg	6.05±1.34△	9.09±1.53△△	55.65±16.70△
WLZ－B	16	15mg/kg	9.74±2.34	10.13±1.43	100.55±33.16
WLZ－B	16	60mg/kg	8.20±2.62△	8.31±1.58△	70.45±33.65△
WLZ－B	16	120mg/kg	8.27±2.27△	9.19±1.86△△	77.78±29.75△

与对照组比较△P＜0.01,△△P＜0.05与对照组比较

（二）WLZ－B分离物

从WLZ－B分离出3个部分分别为WLZ－B_1、WLZ－B_2、WLZ－B_3通过上述动物实验，表明WLZ－B_1有抑制胃酸分泌，对胃黏膜有显著的保护作用。（见表4、表5、表6）

表4 WLZ－B_1、B_2、B_3对利血平致胃黏膜损伤指数比较

组别	动物数（只）	剂量（mg/kg）	黏膜损伤指数（x±s）	中位数	黏膜损伤抑制率（%）
生理盐水组	8		76.25±50.56	63	0
雷尼替丁组	14	30	34.49±23.57	35	55
WLZ－B1 甲组	8	22.5	47.75±28.05	40	37.3
乙组	10	45	20.70±16.49△	20	72.8
WLZ－B2 甲组	8	5	96.75±21.46	97	－26.8
乙组	10	10	27.70±12.99△	26	63.6
WLZ－B3 甲组	8	10	73.88±33.10	79	3.7
乙组	10	20	26.50±14.43△	24.5	65.2

H检验△P＜0.01，与生理盐水组比较

表5 WLZ－B_1、B_2、B_3对SHAY模型胃黏膜损伤指数比较

组别	动物数（只）	剂量（mg/kg）	黏膜损伤指数（x±s）	中位数	黏膜损伤抑制率（%）
生理盐水组	8		47.00±31.38	36	0
雷尼替丁组	8	30	20.50±16.44	16	56.3
WLZ－B1 甲组	8	22.5	35.38±31.39	21.5	24.7
乙组	8	45	9.50±10.20△	6	79.7
丙组	8	90	1.63±1.92△△	1	96.5
WLZ－B2 甲组	8	5	20.25±24.26	10.5	56.9
乙组	7	10	20.57±13.23	24	56.2
WLZ－B3 甲组	7	10	33.29±20.78	43	29.1
乙组	8	20	37.88±28.78	25	19.4

H检验△P＜0.01，与生理盐水组比较　P＜0.05，与WLZ－B_1甲组比较　△△P＜0.01，与生理盐水组、雷尼替丁组、WLZ－B_1甲组、WLZ－B_1乙组比较

表 6　WLZ－B_1 对胃液 PH 的影响（$\bar{x} \pm s$）

组别	动物数（只）	剂量（mg/kg）	PH 值
生理盐水组	9		1.90±0.62
雷尼替丁组	6	30	1.68±0.76
WLZ－B_1 组	8	90	2.43±0.14△

t 检验，△P＜0.05，各组比较

（三）用五灵脂提取物经硅胶柱层析分离出单体，通过动物实验筛选出其中一个单体有较强生物活性（见表 7、表 8）

表 7　单体对 Shay 模型胃黏膜损伤指数比较

组别	动物数（只）	剂量（mg/kg）	黏膜损伤指数	
			（$\bar{x} \pm s$）	中位数
生理盐水组	10		57.60±27.15	58.5
雷尼替丁组	10	30	7.10±13.72	1
单体甲组	10	100	30.60±28.58△	26
单体乙组	10	200	19.40±25.16△△	12

H 检验△P＜0.05，△△P＜0.01，与生理盐水组比较

（四）单体的理化鉴定

该化合物为无色结晶粉末，能溶于热水、热醇和氢氧化钠溶液，微溶于水和醇。饱和水溶液的 PH 为 5.5，与硝酸汞试剂产生白色沉淀。mP：237℃～238℃。薄层鉴定：从 0.5％CMC 的硅胶 H 薄层板。石油醚，醋酸乙酯、冰醋酸为展开剂。对二甲氨基苯甲醛的盐酸液为显色剂。呈黄色斑点 Rf＝0.38。光谱鉴定：UV　λmαx203nm。IRνmaxcm － 1：3438、3344、3180、3062、1772、1706、1650、1520、1422、1320。MS（m/e）：158（M＋）以上光谱数据均与标准品一致。单体为 1－脲基间二氮杂茂烷二酮－［2，4］。

表 8　单体对 Shay 模型胃黏膜损伤影响

组别	动物数(只)	剂量(mg/kg)	黏膜水肿轻度	中性白细胞浸润中、重度
生理盐水组	7		1	6
单体组	8	200	6	2

$P<0.01$ 两组比较

（五）药理实验结果

五灵脂提取物对苯福林引起的大鼠离体血管环收缩有抑制作用，对 Ach 引起的大鼠离体胃平滑肌收缩反应有抑制作用；对培养乳鼠胃平滑肌细胞有阻止细胞 Ca^{2+} 内流的作用。

三、讨论

我们以往的研究表明，中药五灵脂能抑制胃酸分泌，改善胃黏膜血流，对胃黏膜有显著的保护作用。本课题以中药五灵脂经植化提取，筛选出对胃黏膜起保护作用的有效成分。实验资料显示 WLZ－B，WLZ－B_1，及单体 1－脲基间二氮杂茂烷二酮－[2，4]，均有显著的胃黏膜保护作用。对幽门结扎大鼠的胃酸分泌有抑制作用；减少幽门结扎大鼠的胃黏膜组织水肿、中性白细胞浸润的作用；对苯福林引起的大鼠离体血管环收缩反应有抑制作用；对 Ach 引起的大鼠离体胃平滑肌收缩反应有抑制作用；对培养乳鼠胃平滑肌细胞有阻止细胞的 Ca^{2+} 内流的作用。这是五灵脂对胃黏膜起保护作用的保护机制。本研究为五灵脂的“胃黏膜保护作用”提供了科学资料。同时，五灵脂有阻止细胞钙内流作用，也为扩大五灵脂的临床应用提供了理论依据，为阐明中药“活血化瘀”的作用原理增加新认识。

（李庆明，刘文粢．中国中医药科技，1997；4〈1〉：17－19）

五灵脂单体对细胞 Ca^{2+} 调控功能的研究

已经表明 Ca^{2+} 在壁细胞的泌酸过程中起重要作用，壁细胞的三种泌酸受体如胃泌素受体、组胺受体和乙酰胆碱 M2 受体兴奋时的泌酸过程均有 Ca^{2+} 参与，我们在不同动物模型和临床观察中已经发现五灵脂及其单体有抑制胃酸分泌、增加胃黏膜血流量的作用。为进一步探讨五灵脂单体的胃黏膜保护作用机制，本文用体外培养的大鼠胃黏膜上皮细胞观察了五灵脂单体对细胞内游离 Ca^{2+} 浓度的影响。

一、材料与方法

（一）动物、主要试剂与器材

Wistar 大鼠由中山医科大学实验动物中心提供；五灵脂单体由中山医科大学天然药物化学研究室提供；DME/F12 培养基，Fura－2/AM，苯福林（Phenylephrine），胶原酶Ⅱ型（Collagenase Ⅱ）均为 Sigma 公司产品。胎牛血清由本校微生物室提供。其他试剂均为分析纯。Hitachi 650－60 荧光分光度计和 Olympus IMT－2 型倒置显微镜为日本产品。二氧化碳培养箱为美国赛格公司产品。

（二）胃黏膜上皮细胞培养

参照文献兔胃黏膜上皮细胞培养的方法而有所改进。取体重 300±20g 左右的 Wistar 大鼠，雌雄兼用，禁食（不禁水）48h 后，腹腔注射戊巴比妥钠（30mg/kg）麻醉，无菌下剖腹结扎贲门和幽门，取出胃体沿胃大弯处剪开，用冰 Krebs 液冲洗干净，迅速放入 DME/F12 培养液内（内含 Penicillin100U/ml 及 Streptomycin 100ug/ml）中，10min 后取出胃体，用Ⅱ型 Collagenase（1mg/ml）消化胃黏膜表面，15min 后用吸管轻轻收集细胞，离心（100×g，5min），细胞沉淀用DME/F12培养液（内含10%胎牛血清和青链霉素）重新悬浮，调整细胞密度为109·L^{-1}，放入37℃细胞培养箱内，3天后换入不含双抗的DME/F12培养液（内含10%胎牛血清），7天后用于实验。

（三）Fura－2/AM负载与细胞内Ca^{2+}浓度测定

取培养7天的胃黏膜上皮细胞，用0.06%胰蛋白酶消化后离心（100×g，5min），细胞沉淀悬浮在DME/F12培养液内（内含15%胎牛血清）中，加入Fura－2/AM（终浓度1umol·L^{-1}）置入37℃下避光温育2h，2h后用20倍体积改良Krebs液离心（100×g，5min），以洗去细胞外未结合的Fura－2－AM，细胞沉淀用Krebs液重新悬浮，准确调整细胞密度为109·L^{-1}，用于荧光测定。在测定细胞内Fura－2－AM荧光之前，首先测定未经Fura－2－AM负载的细胞自身荧光，要求细胞自身荧光低于Fura－2－AM负载细胞荧光强度的1%，进行荧光测定时，所用药品均用200倍浓度的储备液，液体均用去离子超纯水配制，以免干扰荧光测定。

（四）缺氧缺糖模型的制备

参考Acotosta（1980年）描述的方法。缺糖：实验时用无糖Eagle's培养基（不含小牛血清）代替正常培养基。缺氧：将无糖培养基预先用95%N2和5%CO_2混合气体饱和30min，经血气分析仪测得PO2＝30mmHg，PH＞7.2，细胞换入这种培养基后，瓶内立即充入95%N2和5%CO_2混合气体30s，然后塞紧瓶塞，保证缺氧条件。正常对照组实验前换入不含血清的正常培养基不充上述气体。

（五）统计学处理

统计数据用$\bar{x}\pm s$表示，显著性检验用自身对照t检验比较给药前后的变化。

二、结果

（一）五灵脂单体对［Ca^{2+}］i的影响

实验分为正常对照组、缺氧缺糖模型组和预先给予不同浓度的（6.25～50umol·L^{-1}）五灵脂单体 40min 后再造成缺氧缺糖模型组。结果显示单体能明显减少缺氧缺糖引起的胞内 Ca^{2+} 浓度升高作用，并呈剂量依赖性，25umol·L^{-1}时的 Ca^{2+} 阻断作用已达最大效应。与缺氧缺糖模型组比较差异显著（P＜0.01，n＝8），见表 1。

Tab 1 Effect of faeces trogopterourm monomer on［Ca^{2+}］i in cultured gastric mucosa cells

Dose/umol·L^{-1}	［Ca^{2+}］i nmol·L^{-1}		
	Resting	Model	Monomer
6.25	96±8	350±44	338±39
12.5	102±11	364±41	252±27*
25	94±6	343±54	128±16**
50	107±13	372±54	121±14**

*P＜0.05，**P＜0.01，Compared with model group n＝8

（二）五灵脂单体对苯福林升高［Ca^{2+}］i作用的影响

无 Ca^{2+} 液（内含 50umol·L^{-1}）苯福林（phe）使［Ca^{2+}］i 由静息时的 98±11nmol·L^{-1}，加入 CaCl2（1.25umol·L^{-1}）后，可使胞内 Ca^{2+} 进一步增至 194±19nmol·L^{-1}。预先用 25umol·L^{-1}的五灵脂单体温育细胞悬液 40min 后再给予 phe 和 CaCl2，结果显示 phe 引起细胞内 Ca^{2+} 释放未受到影响，与给药前比较 P＞0.05，而 phe 引起的胞外 Ca^{2+} 内流被抑制了 58±8%，与给药前比较差异显著（P＜0.01，n＝6）。见表 2。

Tab 2 Effect of monomer on [Ca^{2+}] i increase induced by phenylephrine (phe)

	[Ca^{2+}] i nmol·L^{-1}		
	Resting	Phe	CaCl2
Monomer before	98±11	131±12	194±19
Monomer after	102±13	134±15	142±14**

**P<0.01, compared with monomer before, n=6

(三) 五灵脂单体对 KCL 升高 [Ca^{2+}] i 作用的影响

100mmol·L^{-1}的 KCL 可引起细胞内 Ca^{2+} 明显升高，当细胞悬液预先用不同浓度（6.25～50umol·L^{-1}）的单体温育 40min 后，再给予 KCl 引起细胞内 Ca^{2+} 升高作用。见表 3。

Tab 3 Effect of monomer on [Ca^{2+}] i increase induced by KCl

Monomer/umol·L^{-1}	[Ca^{2+}]i nmol·L^{-1} increased induced by KCL		
	Resting	Model	Monomer+KCL
6.25	102±10	322±48	301±53
12.5	98±7	314±39	274±40*
25	112±11	348±61	138±22**
50	110±13	350±52	131±20**

*P<0.05, **P<0.01, compared with KCL group.

三、讨论

本课题的前期研究已经表明五灵脂及其单体有减少胃酸分泌、增加胃黏膜血流量的作用，但其对胃黏膜保护作用的机理尚未进行研究。本文采用体外培养的大鼠胃黏膜上皮细胞，观察了五灵脂单体对细胞内游离 Ca^{2+} 的影响，结果表明单体可明显减少胃黏膜上皮细胞在缺氧缺糖环境下引起的胞内 Ca^{2+} 升高作用。通常认为苯福林和 KCL 引起的胞内 Ca^{2+} 升高作用与电压依赖性的 Ca^{2+} 通道（VDC）有关。而对胞内 Ca^{2+} 释放无明显影响。同时还发现单体可浓度依赖性地抑制 KCL 引起的胞内升高作用，上述结果提示，五灵脂单体的胃黏膜保护作用可能与阻断胞外 Ca^{2+} 内流有关。

早在 70 年代有人在体外实验就发现，当除去营养液中的 Ca^{2+} 后可使壁细胞的泌酸过程减弱，近年来许多文献表明，用 Ca^{2+} 拮抗药物治疗消化性溃疡已收到比较满意的疗效。90 年代 Sliomiany 等人从大鼠胃黏膜刮取上皮细胞，用麦芽凝集素柱从裂解的胃黏膜上皮细胞中已经分离出了胃黏膜上的 Ca^{2+} 通道，此通道对二氢吡啶类药物敏感。关于 Ca^{2+} 拮抗剂的胃黏膜保护作用目前认为可能与以下几种因素有关，①通过抑制 Ca^{2+} 内流而抑制胃酸分泌，因为泌酸过程的许多环节均有 Ca^{2+} 参与。②质子泵抑制作用，通常认为在酸性环境下，Ca^{2+} 拮抗剂可与质子泵（$H^+-K^+-ATPase$）上的 K^+ 结合，从而抑制了壁细胞中质子泵的活性，导致胃酸生成减少。③扩血管作用，Ca^{2+} 拮抗剂的扩血管作用已被公认，由于血管扩张，胃黏膜血流量增加，可改善局部黏膜的血液循环，从而起到胃黏膜保护作用。我们在实验和临床观察中已经发现五灵脂及单体有减少胃酸分泌，增加胃黏膜血流量的作用。关于五灵脂单体是否还具有质子泵抑制作用，还需进一步探讨。

（郑文秋，李庆明．中国中医药科技，1998；〈5〉s：133－135）

中医药在肿瘤治疗康复中的应用

肿瘤已是常见病，是当前威胁人类健康最严重的疾病之一。现患癌症的病例达3000万，世界卫生组织预计，到2020年，全球人口80亿，癌症新发病人2000万。我国1980年发生117万肿瘤患者，以胃、食管和宫颈癌为主；1985年后数量增至152万人，肺癌、肝癌等上升；2000年病例数增加到200万。

由于癌症早期缺乏特殊症状，被发现时已非早期，因此，能手术切除的病例不到1/3，对于2/3不能手术切除的病人如何治疗？作为一个医生应该为病人做出正确的选择，树立“以人为本、中西结合、综合治疗、个体方案”。其中，中医药在抗肿瘤方面的作用也是一种有力的武器。

一、中医药在肿瘤防治中的作用

（一）直接或间接抗肿瘤作用

已有大量实验表明，中药通过各种途径有直接或间接的抗肿瘤作用，如传统中药喜树树皮中的生物碱及其衍生物能够特异性抑制DNA拓朴酶I，使肿瘤细胞周期停滞于G2期或生成S期的细胞凋亡。蟾酥成份中的蟾毒配基之一Bufalin能抑制拓朴异够酶Ⅱ，有显著抗癌效果。莪术中的榄香烯能促进肿瘤细胞凋亡。雄黄的主要成份砷可促进急性早幼粒细胞白血病细胞凋亡，使抗凋亡基因PML－RAR和Bcl－2基因表达下降。紫杉醇及其衍生物紫杉特尔等均能促使微管蛋白迅速聚集成微管，并结合到微管上抑制微管的解聚，从而使细胞有丝分裂终止起抗癌作用。长春花碱也能与微管蛋白结合，干扰微管的聚合和解聚。姜黄素是从姜黄中提取的植物多酚，对肿瘤的起始、发展都有抑制作用。对淋巴瘤的 Raji 细胞周期阻滞在 G0/G1，G2/M、S 期减少。灵芝孢子油是从灵芝孢子中提取的主要功能成份，其中灵芝三萜类含量达 30%，能直接毒杀肿瘤细胞，并能杀死 G0 期肿瘤细胞，减轻或消除癌痛，同时增加免疫力。威麦宁是国家批准的二类抗肿瘤中药，有效成份为缩合单宁类物质。与癌细胞 DNA 发生嵌合效应，抑制 DNA 的合成代谢，抑制癌细胞分泌Ⅳ胶原酶，从而抑制癌细胞的侵袭和自发性转移，抑制癌细胞信号转导变异通道中的蛋白激酶 PTKC 酪氨酸激酶，从而阻碍癌细胞的复制繁殖。已批准进入美国 FDA 的Ⅱ期临床实验。（健康报 04.12.21 第八版）参红胶囊（人参、西洋红花、昆布、天花粉等），称生物基因抗肿瘤药，含“杀手分子”超微量过渡金属络合物，能准确杀灭肿瘤细胞。(已上市)

（二）提高机体免疫功能

中药治疗疾病不是单纯以药物去直接对抗致病因子，而是调整机体的功能状态、增强机体的抗病能力。许多中药对机体功能状态的调整是直接或间接地通过影响、调节、改变人体基因的表达与表达产物的功能而实现，有些中药可诱生多种细胞因子，如白芍、人参、丹参、黄芪等补益中药可同时诱导 IL－1、IL－2、IL－6、肿瘤坏死因子（TNF)。多糖是植物中主要的活性成份，如人参多糖、枸杞多糖、银耳多糖、鹿茸多糖、党参多糖、云芝多糖、猪苓多糖等等。半枝莲水提物可杀灭人早幼粒白血病细胞，半枝莲醇提物对移植性肿瘤（肉瘤 S180 和肝癌 H22）有显著的抑制作用。五灵脂中主要含有三萜类化合物，人参、五灵脂的煎煮液对小鼠艾氏腹水细胞具有抑制作用。水蛭煎煮液可诱导肿瘤细胞凋亡、提高荷瘤小鼠的细胞免疫功能、抑制荷瘤小鼠肿瘤生长，使 G0/G1 期细胞增多，显著延长荷瘤小鼠的存活时间。

药理实验临床研究表明，多糖可不同程度地提高实验动物淋巴细胞转化率，可激活巨噬细胞和 T、B 淋巴细胞，激活网状内皮系统和补体，促进干扰素的生成，促进白细胞介素的生成，诱生肿瘤坏死因子、刺激已成熟的B细胞分化、繁殖、产生抗体、增强自然杀伤细胞的活性等。具有免疫促进作用的中药有：(1)补气药：黄芪、人参、灵芝、白术、大枣等。(2)补血药：当归、阿胶、熟地、桑椹等。(3)补阴药：元参、麦冬、首乌、银耳、石斛、杞子、女贞子。(4)补阳药：淫羊霍、肉苁蓉、补骨脂、川断、菟丝子。(5)其他：茯苓、川芎、红花、黄芩、薏苡仁。方剂有：四君子汤、四物汤、生脉散、六味地黄丸、补中益气丸、香砂六君子汤、玉屏风散等。

(三)心理治疗

随着社会的进步，医学模式已发生转变，从传统的生物医学模式转变为社会－心理－生物医学模式，旧的医学模式把生物因素看成是主宰健康与疾病的唯一因素，忽视心理与社会因素的作用。新的医学模式把人看成心与身的统一、人与社会的和谐整体。中医学理论早在《内经》中就指出“心主神志”、“人与天地相应也”，与现代的新医学模式是一致的。同时《内经》有关“正气存内、邪不可干”的概述强调人的“正气”作用。现代医学有关人体免疫系统的功能，正为中医学所指的“正气”。人体免疫系统是机体的护卫军，其功能正常时，能有效地抵抗、消灭入侵的细菌、病毒等，并能清除外来的有毒物质和体内的代谢废物。同时人体的免疫系统对机体的突变细胞有免疫监视功能，据统计，人体共有10～14万亿体细胞，由于各类致癌因素的作用，每天都会有几百万个细胞发生基因突变，有一部分突变细胞将向恶性转化形成肿瘤细胞，而免疫系统就象人体的“哨兵”，可识别出突变细胞并将其消灭，从而使恶变的细胞不至于形成恶性肿瘤。据有关研究，因发怒、生气，一次所产生的自由基、5－HT、组胺、乳酸等有害物质，5～10天内难以排出体外，因而大大降低机体的抵抗力，损害了体内免疫系统，使许多疾病甚至癌症乘虚而入。

中医学认为，人的七情——喜、怒、忧、思、悲、惊、恐，属于人体正常情感活动，与脏腑、气血有着密切关系。七情偏激、情志所伤与肿瘤的发生、发展有着十分重人的意义。七情所伤以致气血失调、脏腑亏虚，在致癌因素作用下，引起人体气虚血瘀、气滞血瘀、痰瘀凝结，形成癌症。而良好的情绪有防治肿瘤的作用，现代研究发现，大脑的额叶、海马、中缝核、蓝斑核控制着人的能动性、认知性、记忆力、注意力、情绪等，同时也影响着人体器官细胞的新陈代谢和各自的特殊功能。良好的心理、精神状态，能够统帅全身以积极活跃的方式抵御疾病，正如祖国医学所说“恬憺虚无，真气从之，精神内守，病安从来”。(《素问》)。因此，医生的心理治疗就显得非常重要，要帮助癌症患者树立战胜癌症的信心，要有良好的心理状态，提高自身免疫力，配合各种合理的治疗，癌症是可以战胜的。

二、中医药在肿瘤防治中的应用策略

(一) 针对病因病机处方遣药

不同的癌症其病因病机有一定差异，因此，在治疗上必须针对病因病机处方遣药。如胃癌，其病变在脾胃，但与肝肾两脏密切相关。胃主受纳，脾主运化，脾胃受病，均致脾胃运化失常。肝主疏泄，影响脾胃气机升降，疾病日久，脾肾阳虚，无法腐熟水谷，饮食停滞、痰湿内生、气滞血瘀，因此，在治疗上，调理脾胃气机、运化水湿乃为本。待胃气得复，再以调治。又如肺癌，咳嗽或咯血通常为肺癌的首发症状，主要是由肺癌或它的分泌物刺激支气管黏膜引起咳嗽。癌肿生长于支气管壁，其癌肿血管丰富及癌性感染坏死使血管破裂，出现血痰或小量、中量咯血。其病因病机与胃癌是不同的，其处方遣药当以“养阴润燥、清化痰热”为宜。若进行化疗时，为减少化疗对机体的副作用，保护造血系统、消化系统、免疫功能不被化疗药物所抑制，应用中药黄芪、太子参、白术、茯苓、菟丝子、女贞子、杞子、鸡血藤等均有显著效果。

（二）不同病期，辨证有别

在疾病的发生发展中，由于病邪的深浅不同，其病情症候也是不一样的，因此在不同病期辨证有别。如在胃癌的辨证论治中，初期病邪尚浅，正气未虚，多见气机不畅、升降失常，治宜理气和胃为主。中期胃气已虚，虚多实少，寒多热少，治宜健脾益气、降逆和胃为主。末期气血虚衰，脾胃虚寒，治宜补益脾肾或健脾和胃消滞为主。

（三）不同个体，方药各异

同是肺癌患者，由于体质的差异，致病因子的不同，其病理变化表现的证是不相同的，有的肺癌患者表现为“肺热痰瘀”，而另一个可能是“脾虚痰湿”证。因此所用方药各异，这是强调治疗方案必须个体化。

（四）中医局部治疗

对癌肿局部治疗的方法，除手术和放射以外，还可应用介入治疗，或在B型超声或CT引导下，对癌肿局部注射药物，直接控制癌肿，使用的中药抗癌制剂：华蟾素、中药燕山蛰制剂，中药莪术制剂（榄香烯）、姜黄素等。有报导用榄香烯治疗癌性胸水163例，总有效率74.8%，治癌性腹水84例，有效率为75.0%。

三、药膳食疗

食疗原则：合理饮食，多吃新鲜蔬菜、新鲜水果，多吃富含维生素食品，因人而异，依情选择。

（一）放疗病人

放疗后常出现阴虚内热

宜养阴清热之食疗，生梨、甘蔗、西瓜、葡萄汁、瘦肉、甲鱼、鸭肉等，配西洋参、太子参、麦冬、玉竹、淮山药等。

（二）化疗病人

常出现恶心、呕吐、食欲不振等消化道症状

宜和胃降逆消滞之食疗，肉、蛋、奶，冬菇、瘦肉、猪肚等汤类，少食多餐，配人参、党参、茯苓、淮山药、薏苡仁、砂仁、麦芽、山楂、鸡内金、生姜等。

（三）康复病人

由于体质强弱不同，治疗方法不同，可出现气虚、阳虚或气阴两虚或脾胃虚弱等不同表现。

均宜调和阴阳、健脾和胃之食疗，鱼类、鸡肉、瘦肉、甲鱼等选配人参、灵芝、冬虫草、黄芪、党参、杞子、淮山药、百合、莲子、茯苓、首乌、黑木耳，冬菇等做成各种汤类食用。

（李庆明）

中西医结合治疗阑尾囊腺癌合并腹膜、肝包膜下转移1例

一、临床资料

患者，男，39岁，广东珠海人。因反复右下腹痛一年余，于2004年5月8日入中大五院诊治。患者于2003年5月始，无明显诱因出现右下腹痛，为阵发性痛，无发热、腹泻等表现。在当地医院就诊，B超检查示：右下腹混合性包块；予抗感染治疗后，症状减轻。此后，右下腹痛反复发作，发作时，均予抗感染治疗后好转。本次因右下腹痛再发而入院治疗，无发热，无呕吐，无腹泻。体格检查：T 37℃ R 18次/min BP 110/60mmHg 心肺（-）。腹部平坦，未见肠型及蠕动波，肝脾肋下未触及，右下腹肌稍紧张，麦氏点明显压痛及反跳痛，肠鸣音存在，4～6次/分。实验室检查：血白细胞 15.20×10^9/L、中性粒细胞88.2%、红细胞 4.36×10^{12}/L、Hb123g/L、ALT 21u/L、胆红素10.10umol/L、乙肝e抗体阳性、乙肝核心抗体阳性；入院诊断：1.急性阑尾炎？2.阑尾周围脓肿？3.阑尾肿瘤？于2004年5月9日行剖腹探查术，术中切除阑尾、肿块及大网膜、腹壁肿块送检。术后病理检查结果示：1.送检阑尾肿物 $4.0\times4.0\times2.0$cm，阑尾高分化黏液性囊腺癌，侵及阑尾全层；2.送检腹壁及网膜胶样结节示：转移性高分化黏液腺癌。于04年5月20日做术后CT检查示：肝脏包膜下积液（血）、积气，右侧胸腔积液。于04年6月9日做PET-CT检查示：①阑尾黏液性囊腺癌术后局部异常放射性浓聚（首先考虑术后改变，不除外肿瘤腹腔浸润）；②肝包膜异常放射性浓聚灶（首先考虑转移）。于04年

6月15日给予“CPT－11 200mg＋艾恒 100mg＋5－FU1.0g”肝动脉灌注化疗，并予碘油 5ml 栓塞治疗；04年7月5日B超检查示：肝右叶单发炎性占位病变，2.8×1.7 cm，分别于7月及8月行2次化疗，方案为：艾恒 200mg＋CF 200mg＋5－FU 0.5g iv.5－FU 1.5 维持 48h iv drip.04年12月1日做腹部CT检查示：考虑肝包膜下转移，腹膜转移。于04年12月6日因上腹部涨痛，纳差，入中医病区住院治疗，给予①康艾注射液 30ml＋5％GS 250ml iv drip qd×30d；②中药：清热解毒、健脾活血法，每日1剂。于2005年3月1日做MR检查示：肝包膜下广泛不规则积液，肝实质在T1及T2加权图像上未见明显异常信号影。

二、讨论

阑尾腺癌发病率低，为0.08％～0.2％。阑尾黏液囊腺癌是原发性阑尾腺癌的主要病理类型。据报道，阑尾黏液囊腺癌占原发性阑尾腺癌的90％左右，男女发病比例相近。

阑尾黏液囊腺癌好发于阑尾根部，当肿瘤阻塞阑尾腔造成引流不畅，并继发感染时，临床症状与阑尾炎相同。这种阻塞很难缓解，有的病人发展为穿孔。肿瘤易向回盲部及结肠浸润而形成肿块。而且，肿瘤浸润阑尾全层或导致阑尾穿孔，具有分泌功能的恶性肿瘤细胞以种植的方式播散至腹膜，形成腹腔及腹腔脏器转移灶。此时病人出现间断腹痛、饱胀、不适等症状。阑尾黏液囊腺癌起病隐袭，临床表现无特征性，极易误诊。

由于阑尾黏液囊腺癌好发于阑尾根部，结肠镜活检有利于明确诊断，同时发现结肠恶性肿瘤。大约90％以上阑尾黏液腺癌术前不能明确诊断，如患者有以下情况需警惕本病：（1）慢性或反复急性阑尾炎病史；（2）腹腔穿刺抽出粘稠胶冻样腹水；（3）结肠气钡双重造影发现阑尾充盈缺损，回盲部外压性改变；（4）

B超和CT发现盆腹腔囊性肿块，腹水密度较高，有分隔；（5）结肠镜发现阑尾开口隆起、质硬、溃疡。

完整切除肿瘤是改善预后的重要手段，目前广泛接受的术式为右半结肠切除术，可望达到临床治愈。急性阑尾炎手术应保留阑尾标本，一旦病理诊断阑尾黏液腺癌，应限期行右半结肠切除术。

此例患者手术时已处于肿瘤晚期，并发腹腔、大网膜和肝脏浸润、转移。手术治疗后，给予全身化疗及中药抗肿瘤治疗，有效控制了肿瘤的进展。

（李庆明，阚方巨）

胃康宁防治胃癌研究

中西医结合防治胃癌的研究进展

胃癌是严重危害人类健康的恶性肿瘤之一。据1980年国际癌症研究所报告，全世界每年有634万人死于恶性肿瘤，其中消化系肿瘤占35%。1975~1978年恶性肿瘤死亡调查，我国胃癌死亡率为15.4/10万，占恶性肿瘤死亡率的20.3%，居首位。全国肿瘤防治研究办公室97年公布的我国癌情，对26个省、市、自治区90年代10种主要癌症死亡率及死因分类调查分析表明，全部抽样地区恶性肿瘤的死亡率为108.39/10万；癌症死亡率已由70年代占总死亡的11.72%上升到90年代的18.14%，已成为我国人口第二位死因。10种主要恶性肿瘤死亡排列顺序，依次是胃癌、肝癌、肺癌、食管癌、结直肠肛门癌、血癌、子宫颈癌、鼻咽癌、女性乳腺癌、膀胱癌。胃癌为头号“杀手”。预测2000年时，男性胃癌的发病率为53.7/10万，仅次于肺癌，女性为24.8/10万，仅次于乳腺癌，均居第二位。

一、胃癌病因研究

（一）幽门螺杆菌（下称Hp）与胃癌

自从1982年Hp分离成功以来，大量的研究证明Hp是活动性胃窦炎的主要病因。随着病变的进展，浅表性胃炎逐步发展为萎缩性胃炎、肠化和异型增生，形成癌前病变，在某些致癌因子的作用下渐渐发展为胃癌。流行病学调查发现，胃癌的发病率与

Hp感染率呈正相关。胃癌高发区人群中有较高的Hp感染率，且Hp感染的年龄甚早，10岁以下儿童竟达50%以上。并证实Hp感染率100%的人群，胃癌的发生率较无Hp感染的人群高6倍。

Hp感染可引起胃上皮细胞增殖，Hp的代谢物可导致DNA损伤，这为肿瘤的发生奠定了一定的物质基础。

张锦坤等发现Hp感染与C-Hα-RαS基因活化有关。抗氧化维生素如VitE和β-胡萝卜素的低摄入与胃癌的发生有关。以β-胡萝卜素对化学致癌剂诱发的大鼠前胃癌进行干预，发现有抗致癌作用。VitC在胃液中可通过抑制亚硝基化合物的形成而降低胃癌的发生率。应用叶酸干预化学致癌剂乙基硝基亚硝基胍（ENNG）诱发犬胃癌亦发现其具有延缓癌生成的作用，而且临床应用叶酸逆转胃癌前病变可获良效。

（二）亚硝基化合物，是最重要的致癌病因

1967年Sugimura首先在饮水中加入甲基硝基亚硝基胍（MNNG）诱发了大鼠的胃腺癌。1984年上海市消化疾病研究所也成功地诱发了犬胃癌，诱癌率100%。亚硝基化合物可以作用于胃上皮细胞引起突变，也可与甲基化酶的巯基结合，抑制酶的活性，降低DNA甲基化水平而逐渐导致细胞癌变。

DNA甲基化（methlution）是维持细胞遗传稳定性的重要因素之一，某些癌基因的甲基化水平降低或模式改变与癌基因的激活和表达及细胞的恶变有关。沈兰兰等。胃癌和肝癌发生的早期即有C-myc癌基因的低甲基化发生，在胃癌患者的地区此发生率高达47%。

邓大君等分别检测了山东胃癌高、低发病区人群胃液样品，发现高发区样品的亚硝酰胺阳性检出率高于低发区，证实亚硝酰胺暴露水平与胃癌流行呈正相关。该室还用亚硝酰胺短期灌胃，成功地建立了大鼠腺胃癌、腺瘤、异型增生、慢性萎缩性胃炎等病变模型，证实了腺癌的诱发率与亚硝酰胺剂量成正比。亚硝酰胺的化学性质很不稳定，其前体物酰胺、脲、胍和亚硝酸根广泛存在于人体内外环境。

二、胃癌的发病机理

人类对胃癌的研究已近一个世纪，但至今它的病因和发病机理尚未完全阐明。

胃癌的发生是一个多因子，多步骤的生物学过程。80 年代起随着重组 DNA，分子杂交，聚合酶链反应和核苷酸序列分析等技术的建立和应用，使胃癌的基础研究进入了分子和基因水平阶段。对细胞从正常→癌前→癌的发病过程进行基因水平的分析，利用现代细胞，分子生物学理论和技术研究细胞癌变及肿瘤发生、发展的规律。

胃癌癌变过程中有多种癌基因（met、EGFR，erbB2，αkt－2，rasH）和抗癌基因（P53，P16，Rb，nm23，APC）发生结构和表达的异常。其中 met，ras 基因的过量表达发生在癌变早期。met，erbB2，EGFR，αkt－2 基因扩增与肿瘤的快速生长有关。nm23，P16 基因缺失或表达水平降低与肿瘤细胞恶性表型密切相关。

P53 基因不仅在肿瘤细胞中有高频的突变和缺失，而且在肠化生和异型增生中也可检测到。通过基因转移技术将正常的 P53 基因导入有 P53 基因变异的细胞，可阻断肿瘤细胞的恶性增殖和动物致瘤性。

美国马里兰州肿瘤研究中心，P53 抗癌基因是与其他多种基因协力杀死癌细胞的。在这一过程中 P53 起着组织指挥的作用。受该基因指挥的有 30 种与细胞生老病死有关的基因，其中 14 种可能发挥着主要作用。

P53 启动

细胞受损或老化→细胞凋亡（自杀）

P53 变异

癌细胞繁殖

正常胃黏膜凋亡细胞很少，胃炎及肠化区凋亡细胞增多，胃癌组织的细胞凋亡率明显低于胃黏膜不典型增生区及肠化区，而增殖指数明显高于后两者，表明胃癌细胞凋亡减少，细胞生存期延长，细胞大量积聚，是形成胃癌并发生浸润及转移的基础。

三、胃癌的早期诊断

胃癌的早期诊断和及时治疗对提高生存率有重要作用。目前胃癌的诊断仍主要靠胃镜和病理（加强对癌前病变，胃黏膜浅表糜烂灶的定期胃镜随访）。

胃癌单克隆抗体 MG7 对胃癌的早期组织学诊断，微小胃癌的发现有一定的意义和实用价值，但由于检测手段敏感性不够，故胃癌血清的阳性率偏低。

国外已建立了免疫 PCR 技术（免疫聚合酶链反应技术），国内第四军医大学西京医院最近也建立了这种技术，将抗原抗体反应的特异性同 PCR 的极高敏感性相结合，用于检测胃癌患者血清中胃癌相关抗原 MG7Ag。初步证实其具有敏感性高、特异性好的性质。在 198 例胃癌患者血清中 MG7Ag 阳性者 164 例，阳性率为 82.8%，其他肿瘤患者的阳性结果分别为：食管癌（15/86）、结肠癌（40/90）、肝癌（0/84）、卵巢癌（1/45）、肺癌（4/66）。在非癌患者的检测结果：溃疡病（6/78）、慢性胃炎（7/118）、慢性结肠炎（2/60）。

日本三洋化成工业公司最近研制出一种能早期发现胃癌的新型诊断药，利用酶免疫测定法检测胃蛋白酶元的浓度，以诊断患者是否得了慢性萎缩性胃炎（认为是胃癌的早期病变）。日本东京大学报告用此法检测25415例工厂的职工，凡胃蛋白酶元Ⅰ低于70μg/L和Ⅰ/Ⅱ的比值低于3.0者为阳性，需进一步复查，共3512人（14%）检出胃癌43例，其中11例为早期胃癌。本法胃癌检出率为0.17%，而常规方法的检出率仅0.07%。

北京医科大学第三医院消化内科主任林三仁教授建立了早期筛查、诊断胃癌的新途径血清、胃液固有荧光光谱检测法。在我国胃癌高发区山东牟平县对高危人群进行了胃癌序贯筛查研究，早期胃癌检出率达到47.1%，接近日本筛查水平。测量1，191例各种疾病血清的内源性荧光光谱，其中早期胃癌19例、进展期胃癌74例、其他胃部良性病变1，098例。在200nm紫外光激发下，血清荧光谱有三个发射带，胃癌患者第二个发射带荧光增强，呈锯齿状改变，并在620nm附近出现弱的第四发射带。结果，胃癌阳性率88.2%，其中早期胃癌阳性率78.9%，进展期胃癌阳性率90.5%，并且发现胃液固有荧光光谱检测可获得更高的诊断率。

四、胃癌的治疗

对于胃癌的治疗，目前仍缺乏理想的方法。适于胃癌的有效抗癌药物为数不多，疗效也不够理想。其单一化疗的有效率仅为20%左右，有效期约3－5个月，比不治疗的生存期延长有限。常用的药物如5－氟脲嘧啶，有效率为48%，丝裂霉素的有效率为30%，阿霉素的有效率约为25%，此外，尚有表阿霉素、顺铂和足叶乙甙等。

联合应用抗癌药，希望取得协同作用，提高疗效，如FAMTX方案（氨甲喋呤MTX、5－氟脲嘧啶5－Fu、甲酰四氢叶酸钙、阿霉素）有效率可达59%。

近30年来广泛研究的结果，总的来看化疗对延长胃癌病人生存期并不乐观。在未得到有效防治胃癌发生的办法之时，争取做到早期诊断、早期手术是提高治愈率、术后5年生存率和降低死亡率的可行途径。

内镜下治疗，内镜下黏膜切除治疗早期黏膜层胃癌是一项新的内镜治疗技术，在日本已广泛开展，其完全切除率达50%~80%以上，病变切除后造成之溃疡的治疗同一般溃疡病，通常在4~6周愈合。

北医三院用此法治疗早期癌6例、重度异型增生3例及腺癌5例，完全切除率为93%。治疗黏膜层早期癌时，小的可一次性切除；范围大或全身情况差或不能耐受一次切除者，可多次分割局部切除。

上二医瑞金医院对导向治疗、免疫调节治疗，进行了实验研究。基因治疗，国内均有所涉足。北医三院构建了逆转录病毒载体。

五、中医药治疗

分别于手术前后、化疗期间及疗后给予中医药的扶正和调理，对胃癌的治疗具有一定的意义。中药可以提高机体免疫功能，平衡阴阳、预防和修复化疗的毒副作用。因此，从中药中寻找防治胃癌的有效药物，对于胃癌的防治具有重要意义。

祖国医学认为，胃癌的发生在于痰凝、气滞血瘀，属“胃脘痛”的范畴。亦属“反胃、胃反、食噎、膈证、噎膈、积聚、伏梁、翻胃”等范畴，其主要病机为饮食不节、情志不遂，致肝失疏泄、胃失和降，或久病脾胃受损，痰湿内生，气结血凝痰结于胃而成。

（一）辨证论治

中医对胃癌的辨证分型，目前尚未统一，全国中西医结合胃癌协作组讨论，同意采用北京地区胃癌中医辩证分型方案，将胃癌分为六型。

1．肝胃不和型

主证：胃脘胀满，时时作痛，窜及两胁，口苦心烦，嗳气陈腐或呃逆，吞咽困难，呕吐反胃，舌淡红，苔薄白，脉沉细或弦细。

治法：舒肝和胃，降逆止痛。

主方：逍遥散合旋复代赭石汤加减。

药物：醋炒柴胡6g，制香附6g，广木香5g，炒枳壳9g，川厚朴10g，青皮10g，陈皮10g，砂仁5g，降香6g，杭白芍12g，旋复花（布包）9g，代赭石（先煎）15g，法夏10g，木瓜10g，沉香粉（冲服）6g，全蝎10g，白花蛇舌草30g，八月札10g。

加减：兼腑实便结，加大黄10g，槟榔15g；兼火热内郁，加黄连6g，栀子12g，黄芩12g。

2．瘀毒内结型

主证：胃脘刺痛，痛时拒按，心下痞块，按之疼痛，或呕血便血，肌肤甲错，舌质紫暗或见瘀点，苔薄白或薄黄，脉沉细或涩。

治法：解毒祛瘀，活血止痛。

主方：失笑散合桃红四物汤加减。

药物：生蒲黄（布包）10g，五灵脂10g，桃仁9g，红花9g，当归尾15g，赤芍15g，丹参15g，延胡索12g，川楝子15g，乌药9g，三七粉（冲服）3g，莪术10g，仙鹤草30g，乌贼骨10g，侧柏炭12g，露蜂房6g，血余炭12g，净蛇蜕6g，干蟾皮6g，白花蛇舌草30g，半枝莲30g。

加减：出血兼见舌质光红，口咽干燥，脉细数者，加沙参12g，生地12g，麦冬10g，阿胶（烊化）10g；失血日久，心悸少气，多梦少寐，体倦纳差，唇白舌淡，脉虚弱者，加炒酸枣仁20g，黄芪20g，茯神15g，远志6g。

3．痰湿凝结型

主证：胸闷膈满，胃脘饱胀或疼痛隐隐，面黄虚胖，呕吐痰涎，腹胀便溏，舌淡，苔滑腻，脉细濡或滑。

治法：化痰散结，健脾和胃。

主方：开郁二陈汤加减。

药物：苏子10g，莱菔子10g，贝母10g，胆南星10g，法夏10g，海藻10g，生牡蛎（先煎）10g，苍术10g，白术10g，茯苓10g，夏枯草10g，陈皮10g，生薏苡仁15g，白花蛇舌草30g。

加减：脾虚中寒明显而见痛甚，呕吐、肢冷者，加人参（蒸兑）10g，干姜3g，川椒目10g。

4. 脾胃虚寒型

主证：胃脘隐痛，喜按喜温，朝食暮吐，或暮食朝吐，呕吐清水，面色皖白无华，或四肢发凉，神倦无力，浮肿便溏，舌质淡而胖，有齿痕，苔白滑润，脉沉缓或弦细而弱。

治法：温中散寒，健脾和胃。

主方：理中汤合六君子汤加减。

药物：党参15g，白术10g，干姜3g，红蔻仁10g，吴茱萸6g，丁香6g，柿蒂12g，檀香6g，肉桂5g，制附片6g，法夏9g，诃子6g，石见穿30g，白英15g，半枝莲15g。

加减：痛甚者，加五灵脂10g，高良姜10g，三棱10g。

5. 气血两亏型

主证：全身乏力，心悸气短，头晕目眩，面黄无华，虚烦不寐，自汗盗汗，甚则四肢浮肿，舌淡少苔，脉沉细无力。

治法：补气益血。

主方：八珍汤加减。

药物：黄芪30g，党参30g，白术10g，茯苓10g，当归15g，熟地12g，白芍15g，紫河车10g，黄精15g，阿胶（烊化）10g，白花蛇舌草30g。

加减：兼黑便者，加白及12g，灶心土（布包）15g。

6. 胃热伤阴型

主证：胃脘灼热，口干欲饮，喜冷饮，嘈杂，食后痛剧，纳差，五心烦热，大便干澡，舌质红绛或光红少苔，脉滑或数。

治法：养阴清热解毒。

主方：养胃汤加减。

药物：玄参10g，麦冬10g，生地15g，生石膏（先煎）15g，白芍10g，知母10g，沙参30g，玉竹10g，石斛30g，竹茹10g，天花粉9g，藤梨根15g。

加减：胃脘灼热疼痛明显，嘈杂泛酸者，加黄连10g，吴茱萸3g。

主方加减法在主方基础上结合临床表现进行加减

中国中医研究院的资料，用益气健脾口服液（生黄芪、党参、白术、首乌、拳参、藤梨根、茯苓）合并化疗（选用FMP方案）治疗手术后胃癌61例，与单纯化疗对照组40例对照观察治疗。结果表明，治疗组能顺利地完成治疗过程，并能改善患者全身状况，减轻消化道的毒、副反应，维持患者的血象水平及提高机体的免疫功能。对治疗满1年以上的治疗组60例，其中1、3、5年生存率分别为98.36%、82.69%和60.00%。明显优于对照组。

福建的报道，采用手术前后中西医结合治疗。术前给予中医辨证施治，术后7天内中药治疗，投健脾理气汤辩证加减（20例）：党参、白术、茯苓、黄芪、麦冬、沙参、木香、陈皮、瓜蒌仁、莲肉、鸡内金、麦芽、神曲、黄连、甘草。用中药组各项症状、体征情况均优于不服中药组。化疗与中药配合（90例），服扶正健脾汤：党参、白术、茯苓、黄芪、淮山、莲肉、芡实、枸杞、熟地、女贞子、太子参、白花蛇舌草、白毛藤、绞股蓝、甘草。化疗加中药组副反应的出现，明显低于单纯化疗组。

（二）单味制剂

喜树碱制剂：喜树碱 5～10ml，每日或隔日 1 次，静脉注射；或 20～30mg，隔日 1 次或每周 2 次，静脉点滴（加入 5%葡萄糖中）。以 140mg 为 1 疗程，一般不超过 300mg。

肿节风制剂：肿节风片（草珊瑚片），每次 3～5 片，每日 3 次；肿节风注射液，每次 4mg，肌肉注射，每日 1～2 次。

10%鸦胆子乳剂：4～10ml，加入 10%葡萄糖液 500ml 中，静脉点滴，每日 1 次，总剂量为 6～13g。

50%干蟾皮注射液：先以 2ml 开始，每日递增 2ml，第 5～10 天每天各 10ml，加入 10%或 50%葡萄糖 40ml 中，缓慢静脉推注，10 天为 1 小疗程，30 天为 1 大疗程，2 个小疗程中间休息 2～3 天。

（三）经验方

五灵脂、田七、大黄等

适用于胃癌疼痛及呕血、便血者

马钱子 30g、活蜗牛 15g、蜈蚣 4.5g、乳香 30g、带子蜂房 15g、全蝎 10g，上药研粉用米糊泛丸，每次 1.5g，每日 2 次（马钱子要炮制）。

（四）中成药

“金蒲”山西省新绛中药厂出品，由金钱花、蟾酥、蒲公英、牛黄、山慈姑、黄药子、红花、黄芪等组成，适用于晚期胃癌、食管癌患者痰湿瘀阻及气滞血瘀证。据报道有较好的抑制肿瘤增长的作用，稳定好转率为 78.15%，无毒性、安全可靠。

“博尔宁”胶囊，香港长康堂有限公司出品，由黄芪、山慈姑、重楼、龙葵、苏子、僵蚕等组成。经卫生部指定的中国中医研究院、解放军 301 医院等六家医院临床验证治疗恶性肿瘤 370 例，证实该药具有扶正祛邪、益气活血、软坚散结、消肿止痛的作用，特别对肝癌、胃癌等肿瘤疗效显著。

各地的经验表明，手术是当前治疗胃癌的重要手段，早期胃癌手术后又行中西医结合治疗，90%以上可获根治，Ⅲ期胃癌姑息或根治术后5年生存率为11.3%～22.0%，如术后又配合中西医治疗，可达30.4%～47.0%。因此，进一步开展中西医结合防治胃癌的研究，探讨其规律性、科学性，具有重要意义。

六、胃癌的预防

茶是我国的传统饮料，具有很好的保健功能。湖南医科大学在研究中发现，茶叶中的多酚类物质，尤其是儿茶素类化合物，可诱导癌细胞“自杀”细胞凋亡。已确认茶具有抗多种致癌物诱导的突变、抑制癌细胞DNA合成、影响酶活性和直接杀伤癌细胞等作用。叶酸（FA）：上海市消化疾病研究所选择了部分伴有肠化或异型增生的慢性萎缩性胃炎病人，给予FA口服，半年后腺体萎缩和肠化明显改善。β-胡萝卜素（β-C）：上海消化病所的临床研究显示，天然β-C确能部分逆转CAG病人的萎缩等病变，而合成β-C几乎无效。

（李庆明）

胃癌发生相关因素的研究进展

胃癌是世界范围内引起死亡的主要恶性疾病之一。最近的一份研究报道，即使淋巴结广泛切除后，处于T1、T2、T3期的胃癌患者5年累计复发率分别为11%、40%和72%。而胃癌复发患者可行根治性手术者不足45%。因此对胃癌的研究具有重要意义，现简要介绍与胃癌发生有关的几个因素的研究进展。

一、血管内皮生长因子（Vascular endothelial growth factor，VEGF）

实体瘤的生长和肿瘤的转移需要新生血管形成。没有血管，肿瘤不可能形成实体以及发生转移。目前已发现有20余种促血管形成因子，其中VEGF是目前所知作用最强的促进血管内皮生长的因子，因此VEGF的研究也成为近年抗肿瘤研究的热点。VEGF位于染色体的6p21，3，在转录水平上其mRNA经过不同剪切产生了5种变异体，分别称为VEGF121、VEGF145、VEGF165、VEGF189、VEGF206，分别编码121、145、165、189、206个氨基酸。在人体内VEGF165是主要的效应分子。VEGF的作用主要通过其受体介导，目前发现Flt－1、Flk－1两种受体。VEGF在黏膜结构重建时起到重要作用，通过刺激新生血管形成，保证愈合组织得到充足的营养，胃黏膜强烈的VEGF基因表达被认为有利于消化性溃疡的愈合。另外缺氧、缺血及一些生长因子的刺激也使VEGF合成上升。

VEGF水平与多种恶性肿瘤（乳腺癌、小细胞肺癌、结直肠癌、肾癌、卵巢癌、肝细胞癌、食管癌、鼻咽癌、胃癌等）转移及预后之间的关系已被临床所证实。并且VEGF在胃癌组织中高表达并伴随肿瘤内微血管密度增加。但VEGF水平与胃癌的其他临床特征如临床分期、分化程度、病理分型、浸润深度、生长方式、淋巴结转移等之间的关系仍存在争议。

以往检测外周血中VEGF水平的方法多以VEGF外周静脉血清浓度作为反映血液中VEGF浓度的观察指标，新的研究证实，血清VEGF浓度不完全可靠地反映血液VEGF的浓度，因为在采集血液获取血清时，伴随着血液凝固过程血小板和白细胞可释放VEGF到血清中，进而掩盖了血液中VEGF的真实浓度。Gnusilius等认为外周血中VEGF主要来源于血小板。Manabu等收集了胃癌患者和健康人的外周静脉血清、外周静脉血浆（peripheral - venous plasma VEGF，ppVEGF）、癌旁静脉血清（drainagd - venous serum plasma VEGF，dsVEGF）、癌旁静脉血浆（drainagd - venous venous plasma VEGF，dpVEGF）以及癌组织分别进行 VEGF 浓度的测量，发现血浆 VEGF 浓度约相当于血清 VEGF 浓度的二十分之一，认为是收集血浆时应用抗凝剂减少了白细胞和血小板解释放 VEGF 的结果。另外，健康人与胃癌患者的 psVEGF 无明显差异，而二者的 ppVEGF 却有显著差异，并且胃癌患者 ppVEGF 水平与胃癌静脉入侵、淋巴结转移明显相关，而 psVEGF 和 dsVEGF 都与临床病理特征没有明显相关性。

比较 psVEGF 和 ppVEGF，他们认为 ppVEGF 水平是一个敏感可靠的反应胃癌状态的指标，与 Adams 等的结论一致。

由于血小板对血清 VEGF 数值影响较大，另有学者推荐了一种测量血清 VEGF 的修正方法，即测量血清 VEGF 同时校正血小板计数，以排除凝血过程中血小板释放 VEGF 的影响。

二、环氧合酶 2（cycloxygenase - 2，COX - 2）

COX 是一种参与前列腺素合成的限速酶，COX - 2 高表达经常见于炎症和各种人类的肿瘤。许多研究发现 COX - 2 与 VEGF 在肿瘤细胞的表达位置相似，COX - 2 上调 VEGF 表达，二者协同作用于血管，参与胃癌的发展。Leung 等分析了 65 例胃癌组织，有 49 例（73.5%）肿瘤细胞的胞体中高表达 COX - 2，正常胃上皮很少表达 COX - 2；46 例（69%）高表达 VEGF，其表达位置与 COX - 2 相似。Tatsuguchi 也发现 COX - 2 与 VEGF 大多共同出现在肿瘤前沿细胞中，并且这些地方新生血管清晰可见，这说明 COX - 2 与 VEGF 协同作用于血管形成。Leung 等在体外将人 COX - 2 与 VEGF 协同作用于血管形成。Leung 等在体外将人 COX－2 基因转染到 Kato Ⅲ胃癌细胞株中，培养 48h 后，被转染的胃癌细胞高达 COX－2 蛋白和前列腺素 E_2（PGE_2），VEGF 在蛋白表达水平高于未转染组的 1.7 倍，随后用 NS398（COX－2 特异性抑制剂）作用于转染的胃癌细胞，培养 48h 后，VEGF 蛋白表达水平前降低了 25%。因此，他们认为胃癌 COX－2 的高表达，诱导了 VEGF 表达，进而对肿瘤血管形成产生影响。

阿司匹林属非选择性 COX－2 抑制剂，在体内可抑制 COX 活性，一项流行病学调查显示，服用阿司匹林可降低患胃癌的风险，他们发现每月至少服用 16 次阿司匹林 1 年后，胃癌患者的死亡率比不服用者降低 50%。据此认为，抑制 COX－2 活性可能对控制胃癌有重要意义。

三、活性氧（reactive oxygen species，ROS）

ROS 是一类细胞代谢产物，包括 O_2^-、OH^-、H_2O_2 等，ROS 水平升高反映了氧化状态的存在，氧化状态在细胞分化、溃疡、炎症等许多生理和病理状态下都可以被观察到。氧化还是一些慢性疾病发生发展的主要病理因素，如动脉硬化、糖尿病和老年病。氧化也参与恶性肿瘤的形成和转移活动，升高的 ROS 不但可以导致 DNA 的损伤和凋亡，而且它也是一个重要信号分子，影响细胞功能活动包括基因表达。有研究认为 ROS 与胃恶性变有关。流行病学也证实服用抗氧化药物可明显降低患胃癌的风险。

但 ROS 参与胃恶性变的机制尚不清楚。由于胃癌多表现为 VEGF 的高表达，且胃黏膜长期暴露在食物、细菌释放的氧化环境中，容易引起氧化损伤。因此，Schafer 等探讨了 ROS 和胃内 VEGF－A 表达之间的关系，他们将 AGS 胃癌细胞放置于 H_2O_2 环境中，模拟氧化状态，发现 VEGF－A 蛋白表达和基因表达水

平随时间和 H_2O_2 浓度而升高，蛋白表达在 12h 达到高峰，mRNA 表达在 8～12h 达到高峰，接着他们用荧光素酶基因进行功能性转染，观察氧化状态对 VEGF－A 基因的影响，发现 AGS 胃癌细胞在 H_2O_2 环境中 VEGF－A 启动子呈时间、剂量依赖性变化，在 750uM H_2O_2 中作用 4～8h、VEGF－A 启动子效应达高峰，这与 H_2O_2 对 VEGF－A mRNA 的影响一致。因此他们认为胃癌细胞受到氧化刺激后产生、释放 VEGF，进而影响胃癌血管形成。如果改变细胞的氧化还原状态可直接发挥调节前血管形成的作用。

也有学者认为 ROS 与缺氧诱导因子－1α（hypoxia－inducible factor－1α，HIF－1α）共同作用于胃黏膜，引起胃癌的发生。HIF－1α 呈氧依赖性表达，在细胞正常含氧状态下，HIF－1α 迅速降解，缺氧状态 HIF－1α 呈指数级增长。人类的各种癌症都高表达 HIF－1α。Park 等观察了 HIF－1α 的稳定性，使 HIF－1α 避免降解。而 HIF－1α 蛋白的高表达，进一步导致胃癌的发生和发展。所以胃癌细胞高表达 HIF－1α 与胃癌上皮产生 ROS 有关。因此抑制 ROS 可能是阻止 HIF－1α 发挥效应从而治疗胃癌的新策略。

四、幽门螺杆菌（Helicoabacter pylori，Hp）

Hp 是一种弧形弯曲革兰阴性细菌，是慢性胃炎的主要致病因素，也是消化性溃疡发生的重要原因，Hp 重要的致病因素是 Hp 毒素，分为两种：空泡细胞毒素（Vacuolating cytotoxin A，VacA）和细胞毒素相关蛋白（cytotoxin associated gene A，CagA)，那些表现出毒素活性的 Hp 为产毒菌 TOX＋。流行病学、介入及动物实验研究均强烈提示 Hp 感染增加患胃腺癌的危险性。越来越多的研究认为 Hp 感染后胃上皮细胞产生 ROS，是胃恶性变的重要因素。有学者进行了更深一步的探讨，发现 TOX

+ Hp 可上调 VEGF 表达，而 TOX - Hp 则无此作用，前者通过表皮生长因子受体（epidermal growth factor receptor，EGFR）介导 VEGF 表达。Caputo 等研究了 Hp 毒素与胃癌发生的关系，将胃癌细胞株 NKN28 在 TOX + Hp 株悬液中培养 24～48h 后，VEGF 的浓度较对照组增加了 2.5 倍，而在 TOX - Hp 株悬液中未见增长，说明只有 TOX + Hp 上调 VEGF 水平，应用 ZD1839（EGFR 丝氨酸激酶抑制剂）培养细胞 48h 后，TOX + Hp 组的 VEGF mRNA 表达升高，而 TOX - Hp 组无变化。说明 TOX + Hp 通过 EGFR 介导上调 VEGF 表达。在胃癌的多步骤发展模式中，所有这些事件最终促使慢性胃炎转向胃癌。

五、结语

关于胃癌发生、转移机理目前从多个因素、多个角度进行了深入的探讨，许多因素通过不同途径可上调 VEGF 的表达，促进胃癌的发展，但特异性不强，寻找胃癌相关的特异性因子或特异性作用链仍是今后努力的方向。

（冯春霞，李庆明．现代消化及介入诊疗，2005；10〈1〉：48 - 49）

胃癌细胞周期及其调控

肿瘤研究经历了 70 年代的癌基因时代，80 年代的抑癌基因时代，到了 90 年代则进入了多基因时代或癌基因蛋白网络时代，引起了一系列重大的研究突破，包括肿瘤多步骤理论的提出，DNA 修复理论的形成，细胞凋亡理论的形成，并最终会聚到控制细胞增殖的细胞周期核心机制的阐明，细胞周期启动机制的阐明，细胞周期检测点和调控机制的阐明上来。细胞周期调控异常是肿瘤发生的一个重要机制，其中尤以细胞周期 G1/S 期各调节因子的异常改变与细胞癌变关系尤为密切。对胃癌研究的结果表明，在胃癌的发生发展过程中，出现细胞周期 G1/S 转换的正性调节因子 Cyclin D、E 和 Cdks 的高表达和负性调节因子 INKs，p21，p27，p57 等的低表达。

一、细胞周期的 G1/S 转换及其调控机制

细胞生长、分裂，必须依次经过细胞周期准备阶段的间期和有丝分裂期，分裂间期包括 G1、S、G2 期。在细胞周期按序完成的进程中，Cdks 的时相性激活是细胞周期得以精密调控的核心，而它又主要依赖于 Cyclins 的细胞周期特异性或时相性表达、积累与分解，换言之，在细胞周期的不同时相分别有时相特异性的 Cyclins 和 Cdks 的表达、积累与分解。在 G1 期的细胞周期素主要包括 cyclin D1、2、3 和 cyclin E，细胞周期素依赖蛋白激酶（Cyclin dependent kinses，Cdks）主要包括 Cdk4、6 和 2；其中 Cyclin D－Cdk4/6，Cyclin E－Cdk2 复合物的形成并积累是 G1 期进行的关键步骤，即 Cyclin D 和（或）Cyclin E 的过度表达，均能缩短 G1 期时间或者加速 G1 期的进行，促进细胞增殖，是肿瘤细胞分裂增殖的重要机制。

在细胞周期 G1 期，当生长信号通过信号转导途径和早期应答基因传递到细胞周期调控机制时，首先是 Cyclin D 的表达增加，与 Cdk4/6 形成复合物，Cyclin D－Cdk4/6 通过与其他抑制蛋白结合家族相结合，形成有蛋白激酶活性的 Cyclin D－Cdk4/6－抑制蛋白复合物。Cdk4/6 活化后，从 ATP 分子攫取大量的磷酸基团，将它们转移到细胞周期机制的主要制动分子 pRB 上。当 pRB 处于低磷酸化状态时，其扣留着大量的转录因子，使它们不能发挥作用，从而抑制了许多 S 期必须基因产物的表达，阻断了细胞周期的运行。在活性蛋白激酶 Cdk4/6 的作用下，pRB

进入高磷酸化状态，pRB失活，释放出其扣留的大量转录因子。这些转录因子作用于多个基因，产生多种细胞周期运行所需的蛋白质，驱动着细胞周期继续进行，从而失去了其细胞周期的制动功能。pRB失活后，Cyclin E进一步升高，与Cdk2结合，形成Cyclin E－Cdk2复合物，Cyclin E－Cdk2复合物形成和积累，进一步促使抑制蛋白被Cyclin D－Cdk4/6结合（扣留）或相对量的减少，最终使Cdk2活化。具有蛋白激酶活性的Cyclin E－Cdk2复合物进一步使pRB进入高磷酸化状态，进而使E2F转录相关基因继续表达，产生或激活许多细胞周期相关蛋白，启动并进入S期，进而完成余下的细胞周期时相。

在G1期和G1/S转换期，Cyclin D/Cdk复合物的激活由多个机制调控，称为细胞周期素激酶抑制物（Cyclin kinase inhibitors，Ckis），Ckis主要包括两个蛋白家族，一个是INK4家族，包括$p15^{INK4B}$、$p16^{INK4A}$、$p18^{INK4C}$和$p19^{INK4D}$等；另外一个家族包括$p21^{WAF1/CIP1}$、$p27^{KIP1}$和$p57^{KIP2}$等。这些抑制物分别与相应的Cdks相结合，从而抑制Cyclin/Cdk复合物对细胞周期的促进作用。因此，细胞周期的G1/S转换最终受控于Cyclins－Cdks－Ckis这一组分子的相互作用。

二、Cyclins与胃癌关系的研究

（一）Cyclin D1与胃癌关系的研究

Takano Y等用免疫组化方法检测了455例胃癌病人的Cyclin D1、D2与Cdk的表达，发现Cyclin D1在93例胃癌（20.4%）中过度表达，但分析结果显示Cyclin D1的表达只与年龄相关，而Cdk4的表达似与Cyclin D1表达无关，因此推测Cyclin D1与胃癌的临床病理学指标及预后关系不大；他们的另一研究中，用Western blots、RT－PCR、Southern blot和免疫组化方法检测了260例胃癌中Cyclin D1（CCND1）、D2（CCND2）、Cyclin E

(CCNE)、Cdk2、Cdk4 和 p27 的表达，免疫组化方法显示在 260 例胃癌中，CCND1 过度表达率为 21.5%。邓氏用免疫组化法探讨了 Cyclin D1、p16、p21 与胃癌发展的生物学行为之间的关系，发现 Cyclin D1 高表达，p16 和 p21 的低表达，随癌细胞恶性程度的升高而递增，提示 Cyclin D1 对胃癌的发生发展有重要作用。另有研究也表明 p16、Cyclin D1 蛋白的表达与胃癌的分化程度、淋巴结转移与否、远处转移与否有一定的相关性。在此基础上，用反义核酸技术抑制 Cyclin D1 表达能抑制胃腺癌细胞 BGC－823 细胞株的增殖。但也有研究显示 Cyclin D1 蛋白表达的阳性与否，与胃癌病人的生存曲线无关，与预后无关。

（二）Cyclin D2 与胃癌关系的研究

Takano Y 等的研究表明 Cyclin D2 在 105 例（23.0%）胃癌组织中过度表达，Cyclin D2 的过度表达与年龄、较好的分化、淋巴结转移的发生、肿瘤细胞血管浸润相关；多因素分析显示，Cyclin D2 过度表达是独立于肿瘤浸润深度、淋巴结转移的预后因素，Cdk4 的过度表达与 Cyclin D2 而非 Cyclin D1 过度表达有关，提示 Cyclin D2 在胃癌的进展和预后中具有重要意义。他们用免疫组化方法发现在胃癌组织中 CCND2 过度表达率为 34.2%，CCN2 和 Cdk4 的过多表达与肿瘤进展显著相关；多因素分析显示，CCN2 表达阳性是胃癌独立的预后因素。但是也有研究显示在 AGS、KATOIII 和 NCI－N87 等胃癌细胞株中未发现 Cyclin D2 mRNA 和蛋白的表达，表明在某些胃癌细胞亚型 Cyclin D2 基因甲基化与 Cyclin D2 表达缺失有关，提示 Cyclin D2 表达缺失是某些胃癌发生的旁路。同时，也有研究者发现癌细胞中 DNA 甲基化所致的 Cyclin D2 表达升高在胃癌的发生发展中发挥作用。因此，关于 Cyclin D2 对胃癌细胞周期 G1 期的影响有待于进一步阐明。

（三）Cyclin D3 与胃癌关系的研究

De Luca A 等在研究 H.pylori 对胃癌细胞株 AGS 增殖的影响时发现，H.pylori 分泌的 CagA 和 HspB 蛋白可通过上调 Cyclin D3 等的表达，促进 AGS 细胞的增殖，推测 CyclinD3 表达增加是 H.pylori 导致肿瘤发生的机制之一。Pruneri G 等通过原位杂交免疫组化和荧光方法检测 Cyclin D3 在胃肠道肿瘤的表达，发现 Cyclin D3 免疫活性与 p27 免疫活性成正相关，p27 与肿瘤恶性程度呈现负相关，并认为 Cyclin D3 是胃肠道肿瘤发生发展中一个独立的基因变异，可通过与 p27 相互作用，而抑制 p27 抑制细胞增殖的功能，从而促进细胞增殖。

（四）Cyclin E 与胃癌的研究

一般倾向于 Cyclin E 的高表达发生于胃癌的早期。Aoyagi K 等的研究发现 Cyclin E 蛋白过度表达与胃癌淋巴结转移相关。但是 Takano Y 等的研究发现 Cyclin E 基因 CCNE 的过度表达与分化程度良好和良好预后相关，并推测是由于 CCNE－Cdk2 复合物非活性形式积累所致。Liang B 等用 Western blot 方法检测了胃癌组织中 Cyclin E 的表达，发现其过度表达与胃癌的淋巴结转移，低度分化和浆膜浸润相关，而与肿瘤大小无关。

三、Cdks 与胃癌关系的研究

Takano Y 等的研究在 260 例胃癌组织中检测到 CDK2 过度表达的阳性率为 44.2%，CDK4 过度表达阳性率为 48.0%。在 G1 期与 Cyclin D 结合共同促进细胞周期的 G1/S 转换。Liang B 等报道 Cdk2 的过度表达与胃癌淋巴结转移相关。

四、Ckis 与胃癌关系的研究

$p16^{INK4A}/p15^{INK4B}$ 则可与 cyclin D1 竞争结合 CDK4，抑制

CDK4 的活性，从而抑制细胞增殖，呈现抑癌基因作用。在细胞周期调控中，$p16^{INK4A}/p15^{INK4B}$的失活和（或）cyclin D 的过度表达，可能引起细胞异常增殖和分化失控，最终导致肿瘤的发生。So JB 等亦发现高表达的 p27 胃癌病人的预后明显好于低表达 p27 病人的预后，并且随着肿瘤的进展，p27 的表达逐渐减少；p27 的低表达与肿瘤大小，浸润深度，淋巴结转移和术后残瘤复发有关。Myung N 等研究了 p16 和 p27 在导管腺瘤到胃癌中的表达，胃癌细胞中 p16 和 pRB 的表达呈负相关，cdk4 和 pRB 在恶性和非恶性组织中均高度表达，提示 p16 和 p27 参与胃癌的发生发展。Takano Y 等的研究表明 p27 阴性是胃癌独立的预后因素，CCND2、CCNE、CDK4 和 p27 表达之间无直接关联。p27 因降解活性分解而缺失，在细胞外基质改变时影响肿瘤细胞生长，促进转移，使细胞周期蛋白表现为发挥促进细胞增殖作用。Liu XP 等报道 40.5% 胃癌阳性表达 $p21^{WAF1/CIP1}$，$p27^{KIP1}$ 的表达与性别，肿瘤大小，淋巴结转移情况和临床病理分期等临床病理学因素显著相关。而且单因素和多因素生存分析显示，临床病理分期与 $p21^{WAF1/CIP1}$、$p27^{KIP1}$的表达是胃癌独立的预后因素，在 p27 和 p21 均为阴性的胃癌死亡率最高。提示两者的低表达在胃癌的发生进展中具有重要意义。JY Shin 等对 8 个人胃癌细胞株的研究结果表明尽管 p27 蛋白表现为生长抑制作用，但是 p27mRNA 在癌细胞与对照的正常组织细胞中均有表达，提示 p27 对细胞生存至关重要；而 p57mRNA 的表达在相应的胃癌细胞株中则明显减少，提示 p57 在胃癌的发生发展中发挥作用。

综上所述，在胃癌的发生发展过程中，细胞周期正向调节物质 Cyclins 和 Cdks 的上调以及负向调节物质 $p15^{INK4B}$、$p16^{INK4A}$、$p18^{INK4C}$、$p19^{INK4D}$、$p21^{WAF1/CIP1}$、$p27^{KIP1}$、$p57^{KIP2}$的下调发挥重要作用。但是，我们同时发现即使是针对同一生物分子研究，其研究结果报告有时候不一致，这可能与不同的胃癌细胞亚型有关，因此有必要对不同的遗传性状相对稳定的胃癌细胞株进行独立、全面的研究，以获取更为精确的研究结果。

（阚方巨）

胃癌癌前期病变的唾液、胃液 SIgA 变化

胃癌前病变与胃癌发生有密切关系，国外资料也表明胃癌的发生率与萎缩性胃炎和肠化生的发生率之间有显著的正相关，一般将慢性萎缩性胃炎、胃息肉、残胃和伴有异型增生和/或肠上皮化生的慢性胃部病变列为癌前期病变。1972 年，世界卫生组织将癌前期病变分为“癌前期状态”与“癌前期损害”。本文的目的是研究胃癌前期病变的唾液及胃液的分泌型免疫球蛋白 A（SIgA）的变化并分析其意义。

一、对象和方法

（一）研究对象

正常人 20 例，其中男 10 例，女 10 例。非胃癌前病变 16 例（包括十二指肠球部溃疡，慢性浅表性胃炎），其中男 8 例，女 8 例，年龄 24～58 岁，平均 89.8 岁。胃癌前病变 21 例（包括慢性萎缩性胃炎、残胃炎、伴肠上皮化生或不典型增生），其中男 7 例，女 14 例。年龄 28～72 岁，平均 50 岁，胃癌 4 例，均为女性。年龄 49～83 岁，平均 66.7 岁。全部病例均为住院病人，经纤维胃镜检查做活检病理检查明确诊断。

（二）唾液、胃液的采集

清晨 7 时漱口后留取唾液 2ml，置清洁试管内，放冰箱待测。抽取空腹胃液并弃去第一段胃液，测胃液 pH，如 pH4.0 以

下时，则从胃管内注入5%碳酸氢钠10ml以中和胃液（保持SIgA的稳定，避免胃蛋白酶消化和酸的破坏）。待30min后再抽取胃液2ml，置清洁试管内，放冰箱待测。

（三）检测方法

受检标本经冷冻处理，在室温下冰融，以3000转/分离10min，取上清液用生理盐水作1∶100稀释后测定。采用上海放射免疫分析技术研究所提供的SIgA放射免疫分析药盒（双抗体－PEG），按说明书所示方法进行。使用仪器为FJ－20008G自动γ免疫计数器测定，所得数值乘以稀释倍数即为实际含量。

二、结果

各组患者和20名正常人的唾液、胃液SIg A测定结果见下表。从附表中可见各组患者的胃液SIg A数值均较正常增高。其中最高是胃癌，其次是胃癌前病变，再次是非癌前病变，经各组相比均有显著差异（P＜0.005，＜0.001）。而各组患者的唾液SIgA数值亦比较正常明显增高，但胃癌前病变与非癌前病变及胃癌组间相比，无统计学上差异（P均＞0.05）。

附表　各组患者胃液、唾液SIgA值（μg/ml）（$\bar{x}\pm s$）

组别	例数	胃液SIgA	唾液SIgA	P值
正常组	20	25.35±3.81	193.50±9.55	
非癌前病变	16	68.25±20.74△	519.19±62.90○	
胃癌前病变	21	291.24±58.56△△△	624.24±66.21○○○	
胃癌	4	851.75±147.54△△△	737.50±20.79○○	

注：正常组－非癌前病变组比较，△P＜0.05，○P＜0.001

正常组－胃癌前病变组比较△△P＜0.001，○○P＜0.001

胃癌前病变组－非癌前病变组比较△P＜0.005，○P＞0.05

胃癌前病变组－非癌前病变组比较△△P＜0.001，○○P＞0.05

三、讨论

胃肠道是人体重要的免疫器官。整个消化道的黏膜固有层内散在分布各种淋巴样细胞，在B细胞系中（包括浆细胞），65%～90%为含有或表达IgA的B细胞，当B淋巴细胞接受抗原信息后逐步转化为浆细胞，一部分浆细胞产生IgA，单聚体J链连成双聚体的IgA，再由浆细胞分泌释放，通过黏膜上皮间隙时与上皮细胞产生的分泌片（糖蛋白），结合成完整的分泌型IgA（SIgA），在黏膜表面形成免疫屏障。对消化道黏膜有重要的保护作用。SIgA的主要作用是防止抗原透入黏膜。国内外的资料表明胃癌时胃液SIgA均较正常增高，认为胃液SIgA有可能用来发现早期胃癌。胃液SIgA增高的原因Levy等认为可能为局部组织对肿瘤抗原一种免疫反应。本文研究的资料正常组的胃液SIgA数值与国内文献报道基本相同。胃癌、胃癌前病变及非癌前病变患者胃液SIgA均增高，但各组增高的程度有显著差异。前者最高，后者较低，胃癌前病变居中。各组患者胃液SIgA不同程度的增高，可能与其病变的性质、程度不同且相应的抗原不同所致。因此，对胃癌前病变患者定期检测胃液SIgA，动态观察胃液SIgA的变化，将有助于监测胃癌前病变的转归，作为可疑病变监视性随访的手段之一。

本文资料中，各组唾液SIgA的数值亦较正常明显增高，但各病变组间的唾液SIgA无统计学上差异，可能是唾液受干扰的因素较多之故。因此，唾液SIgA的检测对胃癌前病变的监测价值不大。

（李庆明．实用医学杂志，1994；10〈5〉：448－449）

复方胃康宁防治大鼠实验性胃癌作用的研究

摘要、目的：了解自拟复方胃康宁（胃康宁）对大鼠实验性胃癌的防治作用。方法：以甲基硝基亚硝基胍（MNNG）饲喂并诱导大鼠产生实验性胃癌，借助肉眼、光镜、电镜观察胃康宁对大鼠胃癌的对抗效应。结果：全程服用胃康宁（10个月）组的抗癌效果明显，后半程（4个月）服用胃康宁组呈现出一定的抗癌效应。结论：胃康宁对大鼠实验性胃癌的发生有不同程度的对抗作用，其预防胃癌的效应值得重视。

胃癌属于上皮性恶性肿瘤，其发生、发展呈现复杂、多阶段的生物学行为过程。中医学认为，胃癌的发生在于痰凝、气滞、血瘀，属“胃脘痛”的范畴。中药可以提高机体免疫功能、平衡阴阳、预防和修复化疗的毒副作用。本研究以甲基硝基亚硝基胍（MNNG）饲喂并诱导大鼠发生实验性胃癌，借助光镜、电镜等手段，观察自拟复方胃康宁（胃康宁）对大鼠胃癌发生、发展过程的对抗效应。

一、材料与方法

（一）材料

1. 实验对象　雄性Wistar大鼠50只，2～3月龄，体重120～140g，清洁级，中山医科大学实验动物中心提供（广东省实验动物监测所检证字98A018）；

2. 模型制备　大鼠实验性胃癌造模采用MNNG限期给药饲饮法，予雄性健康Wistar大白鼠每日自由饮用浓度为100μg/ml的MNNG水溶液24周（6个月），再予饮用自来水（4个月），实验时间共计40周（10个月）；

3.药物组成 将胃康宁（由党参、半枝莲、五灵脂等组成，功效：健脾化痰、清热解毒、理气活血、消瘀散结）制成生药（g）：药液（ml）=1（g）：1（ml）浓度的制剂，加防腐剂苯甲酸（0.1g/100ml）、4℃冷藏保存，供大鼠灌胃之用。

（二）分组及给药措施

1.对照组（20只） MNNG限期给药饮法；

2.胃康宁1组（15只） MNNG限期给药饲饮法加全程40周（6个月）每日灌用胃康宁生药10g/kg，以了解胃康宁防治胃癌的效应；

3.胃康宁2组（15只） MNNG限期给药饲饮法加后16周（4个月）每日灌用胃康宁生药10g/kg，了解胃康宁治疗胃癌的效应；

4.正常对照组 第40周末全部杀死大鼠时，即时购雄性健康Wistar大白鼠2只，4月龄，体重200g左右。

（三）取材方法

饲养期第40周末处死全部大鼠并取材。先予灌注固定：经左心室穿刺至主动脉，用生理盐水100ml快冲血管床，用含4%多聚甲醛的0.1mmol/L磷酸缓冲液（pH 7.4，4℃）经升主动脉灌注，时间1h。剖腹取胃，沿胃大弯切开，生理盐水洗净，剪除前胃，将腺胃（胃窦部处）展平，暴露黏膜面，进行观察，在腺胃黏膜面仔细寻找，在有颜色异常和粟粒状结节处，则连同周围组织行条形切割，大小约15mm×2mm，可取多条组织，分置两处，置于2.5%戊二醛（PBS液配制）4℃固定1～2h，送电镜室行透射电镜检查；置于4%多聚甲醛固定12h，再入20%蔗糖PBS液24h，取出，石蜡包埋，切片后行病理检查（HE染色）。

二、结果

（一）大鼠腺胃肉眼所见

对照组黏膜面的颜色异常和粟粒状结节较为多见；胃康宁2组黏膜面颜色稍异常和少量粟粒状结节；胃康宁1组黏膜面未见有粟粒状结节，颜色异常亦少见。

（二）光镜所见（HE染色）

正常组大鼠胃黏膜上皮细胞连接完整，腺管排列整齐；上皮细胞圆形，大小正常；细胞核圆形，染色正常；核浆比正常。胃康宁1组大鼠胃黏膜上皮细胞连接比较完整。胃康宁1组大鼠胃黏膜上皮细胞连接比较完整，腺管排列整齐；上皮细胞圆形，大小正常；细胞核圆形，染色正常；核浆比正常。胃康宁2组大鼠胃黏膜上皮细胞连接比较完整，腺管排列比较整齐；上皮细胞圆形，大小接近正常；细胞核圆形，染色基本正常；核浆比基本正常。对照组大鼠胃黏膜上皮细胞连接缺如，腺管排列紊乱；上皮细胞大小形状不一；细胞核异形性，胞核浓染，核浆比增大。

（三）透射电镜所见

正常大鼠胃黏膜组织中主细胞、壁细胞及内皮细胞清晰可见，大小、形态正常，细胞结构正常。胃康宁1组大鼠胃黏膜组织中，细胞数量少，腺腔完整，细胞分化良好，偶见未分化细胞，呈现细胞凋亡改变。胃康宁2组大鼠胃黏膜组织中细胞量较多，核异形性。对照组大鼠胃黏膜组织中细胞明显增多，细胞小，分化程度低，核浓染，核异形性，腺腔不明显，细胞排列不规整，形态各异。

三、讨论

（一）恶性肿瘤是机体局部组织细胞在各种内部和外界的致

癌因子长期作用下，逐渐发生持续性异常增生所形成的新的生长物或新生物，它是由正常细胞获得了新的生物学遗传特性转化而来，具有自主性、去分化性和可移植性。恶性肿瘤常导致局部正常组织结构破坏，组织恶性表型，包括细胞异型、细胞核增大、核分裂相、核浆比例增大等。本研究采用MNNG饲喂Wistar雄性大鼠诱导生成腺胃腺癌，经病理切片检查，符合癌变特征。光镜下，胃黏膜上皮细胞及腺上皮细胞排列紊乱，大小形状不一，腺腔结构破坏，胞核浓染，胞核增大，核浆比例增大，向肌层浸润等恶变特征；电镜下，大鼠胃黏膜组织中细胞数明显增多，细胞小，分化程度低，核浓染，核异形性，腺腔不明显，细胞排列不规整，形态各异。但在给胃康宁后，情况有所不同。在全程服用胃康宁10个月组的大鼠，光镜下，胃黏膜的上皮细胞排列整齐、连接比较完整，腺管排列整齐，上皮细胞圆形，大小正常，细胞核圆形，染色正常，核浆比例正常，细胞分化程度良好；电镜下，胃黏膜组织中细胞数量少，腺腔完整，细胞分化良好，偶见未分化细胞，却呈现细胞凋亡改变。后半程4个月服用胃康宁组的大鼠，光镜下，大鼠胃黏膜上皮细胞连接比较完整，腺管排列整齐，上皮细胞圆形，大小接近正常，细胞核圆形，染色基本正常，核浆比例基本正常；电镜下，大鼠胃黏膜组织中细胞量较多，核有异形性。表明胃康宁对大鼠实验诱导性胃癌的发生有不同程度的对抗作用。全程服用胃康宁组的结果表明胃康宁具有良好的抑制大鼠胃黏膜细胞恶性表型的作用，后半程服用胃康宁组的结果表明胃康宁具有一定的逆转胃黏膜细胞恶性表型作用，显示胃康宁对大鼠实验性胃癌对抗效应的优势表现在防癌与治癌相结合上。

（二）尽管目前中医药对胃癌的治疗普遍主张采用辨证论治，如通常把胃癌分为；肝胃不和、瘀毒内结、痰湿凝结、脾胃虚寒、气血两亏和胃热伤阴六型，再以相应的方药进行治疗，但气滞、痰积、瘀毒及脾虚等病理因素在胃癌发生、发展过程中是贯穿始终的，只是不同阶段侧重不同、表现有异而已。如此看来，在胃癌发生、发展过程中似有一共同机制，本组对具有健脾化痰、清热解毒、理气活血、消瘀散结功效的胃康宁进行胃癌的防治研究，希冀能切应此机制，在胃癌的中医药防治途径中寻找到公共通路。

（李庆明，余谦，吴伟康．实用医学杂志，1999；15〈8〉：677－678）

中药胃康宁对实验性胃癌 PCNA、p53 蛋白表达的干预作用

摘要 目的：了解胃康宁对大鼠实验性胃癌的防治作用及其可能的机制。方法：Wistar 雄性大白鼠 50 只，用 N－甲基 N－亚硝基 N－硝基胍（MNNG）限期饲饮法诱导大鼠腺胃发生腺癌，大鼠分为三组；阳性对照组、胃康宁 1 组（WKN1，防癌模型）、胃康宁 2 组（WKN2，治癌模型），用光镜、电镜观察大鼠胃黏膜细胞恶性表型，用免疫组化法观察增殖细胞核抗原（PCNA）、突变型 p53 蛋白表达。结果：胃康宁能阻止大鼠胃黏膜细胞核异形性、胞核浓染、核浆比增大等恶性表型，能降低 PCNA 和突变型 p53 蛋白表达（与对照组比较，WKN1 组 $P<0.001$，WKN2 组 $P<0.001$）。结论：胃康宁对大鼠实验性胃癌具有良好的防治作用，此作用与降低 PCNA、p53 蛋白表达有关。

胃癌是高发病率的消化道肿瘤，我国胃癌的死亡率也居各种恶性肿瘤死亡率之首。近年来，有关胃癌发生、发展的分子生物学研究显示，胃癌的形成是多个原癌基因激活和抑癌基因失活所

累积起来的多步骤过程。p53基因是迄今发现的与人类肿瘤相关性最高的基因，突变型p53基因在丧失野生型抑癌功能的同时还具有致癌作用，成为癌基因，在胃癌组织中也常呈高表达，对胃癌发生、发展起着活跃的促进作用。增殖细胞核抗原（proliferating cell nuclear antigen，PCNA）是一种细胞核蛋白质，与细胞增殖状态明显相关，其异常表达也与胃癌的形成呈正相关。目前有关药物防治胃癌的效果尚不理想，开展中医药防治胃癌的研究工作很有意义。中医学认为，胃癌的发生、发展过程与气郁、痰积、脾虚、瘀毒等病理因素密切相关，与此相应，本研究以具有健脾化痰、清热解毒、理气活血、消瘀散结功效的中药复方胃康宁开发防治大鼠实验性胃癌的研究，在细胞学水平观察中药阻止胃黏膜细胞恶性表型及促进恶变的胃黏膜细胞逆转等作用，在分子生物学水平观察与胃癌发生发展过程密切相关的PCNA、突变型p53蛋白（以下统称p53蛋白）表达及中药的干预作用。

一、材料与方法

（一）动物及试剂

选用健康Wistar雄性大白鼠50只，清洁级，2～3月龄，体重120～140g，由中山医科大学实验动物中心提供（广东省实验动物监测所检证字98A018）。N－甲基N－亚硝基N－硝基胍（MNNG）由美国Fluka公司出品，批号：327080/1493，为淡黄色结晶，4℃避光保存。先以蒸馏水配成1g/L的贮存液，用时以自来水稀释成100mg/L，装入涂有黑漆的饮水瓶中，供大鼠自由饮用。贮存液每5d配一次。全部配制过程均需避光。胃康宁由党参、茯苓、半枝莲、田七等11味中药组成，功效健脾化痰、清热解毒、理气活血、消瘀散结。预先将胃康宁制成生药浓度为1,000g/L的药液，加防腐剂苯甲酸（0.1g/L）、4℃冷藏保存，供大鼠灌胃之用。

（二）动物分组

造模采用MNNG限期给药饲饮法：每日用自由饮用浓度为100g/L的MNNG水溶液，24周后，再予饮用自来水16周，实验时间共计40周。实验动物共分三组：（1）对照组：20只，MNNG限期给药饲饮法。实验过程中自然死亡3只，余17只。（2）胃康宁1组（WKN1）：15只，MNNG限期给药饲饮法加全程40周、每日依体重灌用胃康宁药液10ml/kg。此组显示胃康宁预防胃癌的效应。实验中3只死亡，余12只。（3）胃康宁2组（WKN2）：15只，MNNG限期给药饲饮法加后16周、每日依体重灌用胃康宁药液10mL/kg。实验中4只自然死亡，余11只。按文献报道，MNNG饲喂大鼠20周时大鼠腺胃已有腺癌样增生，胃黏膜细胞的恶性表型已经显现，此时投予中药胃康宁，意在逆转胃黏膜细胞的恶性表型，显示其治疗胃癌的效应。

1998年5月25日开始进行实验动物饲养，3组分笼普通颗粒饲养，购处同前。

（三）取材及观察

至1999年3月25日即饲养期的第40周末同时处死3组大鼠。取材时，先予灌注固定：经左心室穿刺至主动脉，用生理盐水0.1L快冲血管床，用含40g/L多聚甲醛的0.1mol/L磷酸缓冲液（pH7.4，4℃）经升主动脉灌注，时间约1h；然后剖腹取胃，沿胃大弯切开，生理盐水洗净，剪除前胃，将腺胃展平，暴露黏膜面：在黏膜面上有颜色异常和粟粒状结节处，连同其周围组织行条形切割，大小约15mm×2mm。连续取多条组织，分置两处：置于25g/L戊二醛（磷酸缓冲液配制）4℃固定1～2h，送电镜室行电镜检查；置于40g/L多聚甲醛固定12h，再入200g/L蔗糖PBS液24h，取出，石蜡包埋，切片后行病理检查（HE染色）及PCNA、p53蛋白检测（免疫组化法）。

（四）统计方法

统计学处理采用方差分析、两两比较法；如果数据经过方差齐性检验为方差不齐，则采用两两比较 Tamhane 法进行显著性检验；否则采用两两比较 LSD 法进行显著性检验。规定 $P<0.05$ 为有显著性差异，$P<0.01$ 为有高度显著性差异（由中山医科大学统计学教研室采用 SPSS for Windows 7.0 版统计软件进行统计学处理）。

二、结果

（一）大鼠腺胃肉眼观察

阳性对照组黏膜面的颜色异常和粟粒状结节较为多见（12/17，71%）；WKN2 组黏膜面亦有颜色异常和粟粒状结节，但不多见（5/11，45%）；WKN1 组黏膜面未见有粟粒状结节，颜色异常亦少见（1/12，8%）。经 χ^2 检验，3 组间有显著性差异（$P<0.01$）。

（二）病理检查

正常组大鼠胃黏膜上皮细胞连接完整，腺管排列整齐；上皮细胞圆形，大小正常；细胞核圆形，染色正常；核浆比正常。WKN1 组大鼠胃黏膜上皮细胞连接比较完整，腺管排列整齐；上皮细胞圆形，大小正常；细胞核圆形，染色正常；核浆比正常。WKN2 组大鼠胃黏膜上皮细胞连接比较完整，腺管排列比较整齐；上皮细胞圆形，大小接近正常；细胞核圆形，染色基本正常，核浆比基本正常。对照组大鼠胃黏膜上皮细胞的正常连接缺如，腺管排列紊乱；上皮细胞大小形状不一；细胞核异形性，胞核浓染；核浆比增大；癌细胞向肌层浸润。

（三）电镜观察

正常组大鼠胃黏膜组织中主细胞、壁细胞及内分泌细胞清晰可见，大小、形态正常，细胞结构正常。WKN1 组大鼠胃黏膜组织中，腺腔完整，细胞分化良好，偶见未分化细胞，却呈现细胞凋亡改变。WKN2 组大鼠胃黏膜细胞中细胞量较多，核异形性。对照组大鼠胃黏膜组织中细胞数明显增多，细胞小，分化程度低，核浓染，核异形性，腺腔不明显，细胞排列不规整，形态各异。

（四）PCNA 表达

将所制切片在光学显微镜低倍镜下观察，以细胞核呈现明确的棕黄色颗粒状染色为阳性细胞，细胞核蓝染的细胞为苏木素复杂的阴性细胞，计数方法是在镜下选择均匀视野，循序在 100 个细胞中计数阳性细胞所占的个数。结果进行统计学处理。结果表明：WKN1 组和 WKN2 组的 PCNA 表达量均较对照组明显减少(图 1)，且有高度显著性差异（$P<0.001$）；WKN1 组的 PCNA 表达量亦较 WKN2 组明显减少，两组间同样存在高度显著性差异（$P<0.001$）。表明胃康宁具有显著抑制 PCNA 表达的效应；对于此效应，全程 40 周给予胃康宁组（WKN1）优于后半程 16 周给予胃康宁组（WKN2 组），详见表 1。

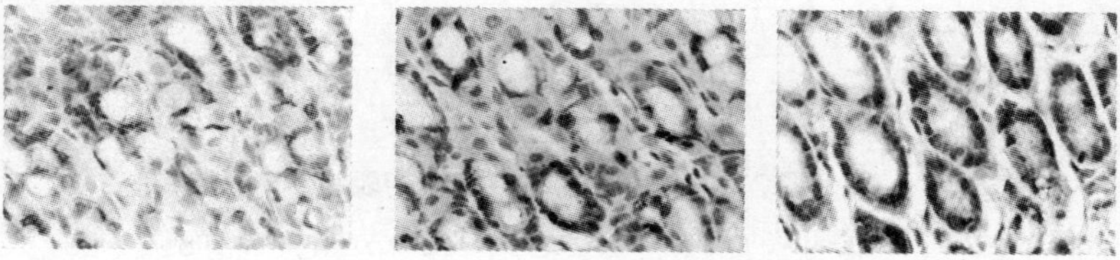

图 1　PCNA 在细胞核中的表达

Fig 1　PCNA expression in cell nuclei

Left: WKN 1 group; Middle: WKN 2 group; Right: Control group; ×400

表1 大鼠胃黏膜 细胞 PCNA 的表达（$\bar{x} \pm s$, %）

Groups	n	PCNA
WKN1	12	4.2±16
WKN2	11	13.9±3.0
Control	17	35.1±5.3

（五）p53 蛋白表达

结果判定：以细胞浆呈现明确的棕黄色颗粒状染色为阳性反应，并以此为目标进行真彩色图像分析处理（德国 KONTRON IBAS 2.5 版全自动图像分析系统），获得定量数据。先用光学显微镜低倍镜选择胃组织黏膜层的良好视野区域，再用高倍镜在此区域中均衡选择 5 个视野进行颜色目标定量化，所得数的平均值代表 1 只大鼠胃黏膜组织细胞 p53 蛋白表达量（定量单位：面积 μm2）。结果表明：WKN1 组和 WKN2 组的 p53 表达量均较对照组明显减少，且有高度显著性差异（$P<0.001$）；WKN1 组的 p53 表达量亦较 WKN2 组的明显减少（图 2），两组同样存在显著性差异（$P<0.05$）。表明胃康宁具有显著抑制 p53 异常表达的效应；对于此效应，全程 40 周给予胃康宁组（WKN1）优于后半程 16 周给予胃康宁组（WKN2 组），详见表 2。

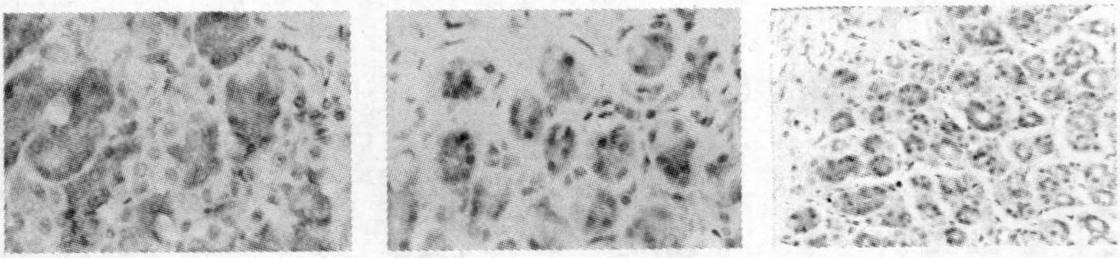

图 2 p53 蛋白在细胞核中的表达

Fig 2 p53 positive cell nuclei is localized by a yellow－orange color

Left: WKN 1 group; Middle: WKN 2 group; Right: Control group; ×400

表 2　大鼠胃黏膜细胞 p53 蛋白表达（$\bar{x} \pm s$）

Table 2　Expression of p53 protein in the gastric cells of rats

Groups	n	PCNA
WKN1	12	$2.2 \pm 1.5^{1),2)}$
WKN2	11	$3.5 \pm 1.5^{1)}$
Control	17	6.3 ± 3.4

1) Compared with control，$P < 0.001$；2) Compared with WKN 2，$P < 0.05$

三、讨论

（一）胃康宁对大鼠实验性胃癌的防治作用

恶性肿瘤是机体局部组织细胞在各种内部和外界的致癌因子长期作用下，逐渐发生持续性异常增生所形成的新的生长物或新生物，它是由正常细胞获得了新的生物学遗传特性转化而来，具有自主性、去分化性和可移植性。恶性肿瘤常导致局部正常组织结构破坏，组织恶性表型，包括细胞异型、细胞核增大、核分裂相、核浆比例增大等。

本研究采用 MNNG 限期饲养喂法诱导 Wistar 雄性大鼠生成腺胃腺癌，经病理切片检查，符合癌变特征。但在给予中药胃康宁组，情况有所不同，表明胃康宁对大鼠实验诱导性胃癌的发生有不同程度的对抗作用。WKN1 组的结果说明中药胃康宁具有良好的抑制大鼠胃黏膜细胞恶性表型的作用，WKN2 组的结果说明中药胃康宁具有一定的逆转胃黏膜细胞恶性表达作用，显示中药胃康宁对大鼠实验性胃癌对抗效应的优势突出表现在防癌与治癌相结合上，其单纯的治疗效应在一定程度上存在，但其预防胃癌生成的作用却也显而易见。

（二）PCNA 表达及中药干预的意义

PCNA 是存在于细胞核内的一种蛋白质，即 DNA 聚合酶 δ

的辅助蛋白，与 DNA 的复制密切相关，它对细胞由 G1 期向 S 期过渡起着重要的调节作用，与肿瘤细胞的增殖密切相关。在有关胃癌的研究中发现，PCNA 表达与胃癌的浸润及转移密切相关。本研究的造模组大鼠胃黏膜细胞中的 PCNA 呈现高表达，说明胃黏膜细胞增殖过度旺盛，形成细胞恶变的特点。本研究结果表明在诱导大鼠实验性胃癌形成的过程中，预防性投予中药胃康宁能使大鼠胃黏膜细胞增殖状态维持正常或接近正常状态，能有效防止胃黏膜上皮细胞的恶性表型。

（三）p53 蛋白表达及中药干预的意义

突变型 p53 蛋白是一个与胃癌高度相关的癌蛋白，在早期胃癌及进展期胃癌中均能检出其表达，Uchino 等应用免疫组化法检测了 149 例胃癌胃镜活检组织 p53 蛋白，结果在 34％的进展期胃癌和 22％的早期胃癌中，细胞核显示阳性反应。而非肿瘤细胞未被标记。一些报告认为，p53 蛋白的阳性表达与胃癌的恶性程度相关；有研究认为，p53 基因突变还与胃癌的转移及不良的预后有关；有研究观察到，用免疫组化法检测胃癌组织中突变型 p53 蛋白的阳性表达可分为胞浆型、核型以及全细胞型，胞浆型与胃癌高分化有关，核型与胃癌低分化有关。

本研究中，造模组大鼠胃组织的 p53 蛋白呈现高表达，在给予中药胃康宁组中，全程（40 周）给予胃康宁组（WKN1）的大鼠胃组织 p53 蛋白呈现较低程度表达，表明预防性给予中药能较好防止在诱癌环境中胃黏膜上皮细胞中的 p53 基因成为被激活的突变型 p53 癌基因；后半程（16 周）给予胃康宁组的大鼠（WKN2）胃组织 p53 蛋白呈现中等程度表达，表明治疗性给予中药具有一定的抑制 p53 蛋白表达的作用，并通过抑制 p53 蛋白的表达逆转胃黏膜细胞的恶性表型，从而减缓胃癌的发生，产生一定的治疗作用。

此外，许多研究认为在组织恶变过程中 p53 蛋白与 PCNA

之间存在着密切的正相关，在胃癌亦如是。同样，作为核内转录因子的突变型 p53 基因由于激活了某些细胞增殖相关基因的表达功能，促进细胞增殖，从而使 PCNA 呈现高表达。本研究在观察 p53 蛋白表达的同时也观察了 PCNA 的表达，同样观察到两者之间密切而同步的关系。一方面，PCNA 与细胞增殖相关，恶性肿瘤重要的生物学特征之一就在于组织细胞自主性增殖、生长；而另一方面，p53 基因的突变又与组织细胞恶变有关，因此，在突变型 p53 基因蛋白表达与 PCNA 表达的两者之间似乎存在着前后因果的关系，这与肿瘤发生、发展过程中存在的众多而复杂的机制一样，进一步的明确和探明将有助于对胃癌发生、发展过程的认识。

（余谦，李庆明．中山医科大学学报，2000；21〈4s〉：38－42）

中药胃康宁对人胃癌细胞的作用

摘要 目的：观察中药胃康宁含药血清对胃癌细胞生长及 P53 和 VEGF 及其受体表达的作用。方法：分别以高、中、低不同剂量的胃康宁制剂对 Wistar 雄性大鼠进行灌胃，制备含药血清，然后分别用不同剂量组的含药血清培养胃癌细胞，以倒置显微镜及流式细胞仪观测各组胃癌细胞的生长状况，并用免疫组化法检测各组胃癌细胞中 P53 和 VEGF 及其受体的表达。结果：与对照组比较，用药组胃癌细胞的生长及细胞周期明显改变；P53 和 VEGF 的表达明显减弱（$P<0.05$）。结论：中药胃康宁对胃癌细胞的生长，P53 和 VEGF 及其受体的表达有抑制作用。

胃癌的发病率和死亡率，在我国的恶性肿瘤中占第一位，是严重影响人类生命健康的恶性肿瘤。近年对中医中药治疗胃癌的研究取得了长足的进展。本文研究了突变型 P53 与血管内皮细胞生长（VEGF）及其受体在胃癌细胞中的表达，及中药胃康宁的防治作用，以探讨 P53 与 VEGF 在胃癌发生发展过程中的作用及中药胃康宁的防治效果。

一、材料与方法

（一）实验材料

1. 动物和细胞

Wistar 雄性大鼠，清洁级，体重 180～200g；MGC－803 胃癌细胞株由中山大学实验动物中心提供。

2. 仪器和试剂

CO_2 培养箱：美国 NAPCO－5410 型。德国 KONTRON IBAS2.0 全自动图像处理系统：德国 ZEISS 公司产品。流式细胞仪：美国 Becton dickinson 公司产品。RPMI－1640 培养基、小牛血清购于英苇创津试剂公司，VEGF 多克隆抗体、P53 单克隆抗体、SABC 试剂盒，DAB 显色液均由武汉博士德公司提供。

（二）实验方法

1. 中药胃康宁组成及药液制备

中药“胃康宁”由党参，半枝莲，五灵脂等组成。用其颗粒剂（由江苏省江阴制药厂提供）分别制成浓度 1g/1ml 及 2g/1ml 的“胃康宁”制剂，4℃冷藏保存，供大鼠灌胃、制备含药血清之用。

2. 胃康宁含药血清制备

Wistar 雄性大鼠，清洁级，体重 180～200g，共 120 只，随机分为 4 组。低剂量组按 5g 生药/kg 体重剂量灌胃，中剂量组按 10g 生药/kg 体重灌胃，高剂量组按 20g 生药/kg 体重剂量灌胃，对照组给予相同体积的生理盐水，每日 1 次，连灌 1 周。末次灌药后 1h 在无菌条件下自腹主动脉采血，1700 转/分离心制备含药血清；将所采各组动物血清分别混合，－70℃冷藏备用，临用前需 56℃灭活 30min。

3. 胃癌细胞培养

复苏 MGC－803 胃癌细胞株，体外传代培养，用含 10%小牛血清（FBS）的 RPMI－1640 培养液，置于 37℃、5%CO_2 孵育箱中培养 48～72h，每 24h 换培养液一次。待培养瓶底铺满胃癌细胞后，弃去培养液，用 0.25%胰蛋白酶消化胃癌细胞，含 10%小牛血清的 RPMI－1640 培养液调整细胞浓度为 2×10^6/ml 分别接种。设空白对照组、血清对照组、"胃康宁"含药血清高、中、低剂量实验组共 5 组。（1）空白对照组予常规培养液；（2）血清对照组予常规培养液的同时加用正常大鼠血清；（3）高剂量实验组予常规培养液的同时加用高剂量胃康宁含药血清；（4）中剂量实验组予常规培养液的同时加用中剂量胃康宁含药血清。（5）低剂量实验组予常规培养液的同时加用低剂量胃康宁含药血清。共同培养两代后，以倒置显微镜观察各组胃癌细胞株的细胞学形态变化及倍增指数；以流式细胞仪检测细胞生长周期的变化。

4. 胃康宁对胃癌细胞增殖周期的影响

将胃癌细胞按 1×10^5/ml 的浓度分别均匀接种于含 10%含药血清的培养基中，共同培养两代后，分别用 0.25%胰蛋白酶消化，制备单细胞悬液，PBS 洗涤后用－20℃预冷的乙醇固定，碘化，吡啶（PI）染色后用流式细胞仪检测细胞周期的变化。

5. 胃康宁对胃癌细胞 P53，VEGF 及其受体 Flt 表达的影响

将胃癌细胞按 1×10^5/ml 的浓度均匀接种于含 10%含药血清的培养基中，共同培养两代后用免疫组化学（SABC 法）检测 P53 和 VEGF 及其受体 Flt 的生物活性，按说明书进行。结果采用德国 KONTRON IBAS2.0 全自动图像处理系统进行定量分析。

6. 统计学处理

检测结果用SPSS软件进行统计学分析。

二、结果

（一）胃康宁对胃癌细胞周期的影响

检测结果表明，各用药组G0－G1期细胞增多，S期细胞及S期细胞比率（SPF）均减少，且随剂量的增加有所变化（见表1）。

表1　各组胃癌细胞不同周期细胞所占比例（$\bar{x}\pm s$）

组别	各细胞周期细胞比例（%）		
	G0－G1期	G2－M期	S期
高剂量组	65.40±0.41①②	11.65±62①②	22.99±0.69①②
中剂量组	56.92±0.62①②	17.08±0.8①②	26.00±0.71①②
低剂量组	55.89±0.69①②	19.37±0.57①②	24.74±0.64①②
血清组	42.25±25	22.51±0.58	35.24±0.56
对照组	41.35±0.55③	23.65±0.56③	35.00±0.60③

①与对照组比较P＜0.01，②各组间比较P＜0.01，③与血清组比较P＞0.05

（二）胃康宁对胃癌细胞P53,VEGF及其受体Flt表达的影响

检测结果显示，各用药组胃癌细胞中P53和VEGF及其受体的表达均受到不同程度的抑制，且随剂量的增加有所变化(见表2)

表2　P53和VEGF及其受体Flt表达的图像处理结果（$\bar{x}\pm s$）

组别	各组图像的灰度值		
	P53	VEGF	Flt
高剂量组	186.82±0.62①	198.44±0.54①	168.61±0.81①
中剂量组	195.35±0.55①	188.66±0.56①	162.02±0.52①
低剂量组	162.64±0.82①	197.01±0.81①	148.19±0.69①
血清组	165.11±0.54	177.68±0.65	142.55±0.68
对照组	162.78±0.68②	172.15±0.15②	144.31±0.71②

①各组间比较，与对照组比较P＜0.01，②与血清组比较P＞0.05

（三）讨论

根据祖国医学理论，胃癌的发生与气郁、痰积、脾虚、瘀毒

等病理因素密切相关的认识，我们采用健脾化痰、清热解毒、理气活血、消瘀散结的方法防治胃癌，已取得一定疗效。

本实验采用中药胃康宁给 Wistar 雄性大鼠灌胃制备含药血清，用含药血清培养胃癌细胞，分别用流式细胞及免疫组化方法检测细胞周期、P53 和 VEGF 及其受体的表达。结果表示胃康宁对胃癌细胞周期、P53 和 VEGF 及其受体的表达均有明显抑制作用。

本实验结果提示，胃康宁含药血清能将增殖过程中的 MGC－803 胃癌细胞阻滞于 G0－G1 期，使之不进入或延迟进入 S 期（即 DNA 合成期），干扰了 DNA 的合成，胃癌细胞因而丧失了进行有丝分裂的基础，增殖生长受到抑制，并有一定的量效关系。

在胃癌的发生、发展过程中，P53 基因突变具有重要的作用。突变的 P53 蛋白可通过“负显性效应”阻碍野生型 P53 基因的抑制生长功能，突变型 P53 蛋白与野生型 P53 蛋白结合形成几乎没有结合 DNA 能力的寡聚蛋白复合物，从而不能控制这些位点的基因转录，这些位点可能包括抑制细胞或癌变的基因，这样突变型 P53 蛋白将导致肿瘤进一步生长。且 P53 在本病的发生、发展中与 P16，P21，nm23，hTRT 等基因及相关分子有密切的关系。甚至与幽门螺杆菌的感染也有一定的关系。本实验的结果显示，各用药组 P53 图象的灰度值均增加（灰度值与染色深度成反比），与对照组比较差异具有显著性（$P<0.01$），说明胃康宁对 P53 基因的表达具有抑制作用，并存在一定的量效关系。

血管内皮生长因子（VEGF）是肿瘤细胞系中的一种新型生长因子，它特异性地作用于血管内皮细胞，促进血管内皮细胞增殖。对原位肿瘤的形成和生长以及转移瘤的形成中起着十分重要的作用。VEGF 的表达与胃癌的浸润转移有关。在肿瘤生长过程中，血浆蛋白（如纤维蛋白原和纤溶酶原）从高渗透性的血管中外渗并凝固－形成纵横交错的纤维蛋白胶滞体，纤维蛋白胶滞体为肿瘤细胞或炎症细胞和从邻近结缔组织来的再生血管提供暂时性基质，这种暂时基质最终降解并转化成胶原结缔组织，将无限地维持肿瘤的生长。血管内皮细胞的表面存在着 VEGF 受体，VEGF 通过与 VEGF 受体结合而诱导血管内皮细胞的增殖。还通过其他机制参与血管形成。VEGF 的表达受到基因水平的调控，阻断 VEGF 与 VEGF 受体的结合及 VEGF 的信号转导，便可抑制 VEGF 的生理功能，从而抑制肿瘤的形成。本研究结果表示，各用药组 VEGF 及其受体 Flt 图象的灰度值均增加，与对照组比较差异具有显著性（$P<0.01$），说明胃康宁对 VEGF、Flt 基因的表达具有抑制作用，并存在一定的量效关系。

综上所述，中药胃康宁含药血清对胃癌细胞的增殖生长周期，以及胃癌细胞中 P53 和 VEGF 及其受体的表达均有一定的抑制作用。

（闵存云，李庆明．中华实用中西医杂志，2003；3〈14〉：2117－2119）

中药胃康宁对人胃癌细胞周期与 VEGF 和 P53 表达的影响

摘要　目的：观察中药胃康宁含药血清对胃癌细胞生长及 P53 和 VEGF 及其受体表达的作用。方法：分别以高、中、低不同剂量的胃康宁制剂对 Wistar 雄性大鼠进行灌胃，制备含药血清，然后分别用不同剂量组的含药血清培养胃癌细胞，以倒置显微镜及流式细胞仪观测各组胃癌细胞的生长状况，并用免疫组化法检测各组胃癌细胞中 P53 和 VEGF 及其受体的表达。结果：

与对照组比较，用药组胃癌细胞的生长及细胞周期明显改变；P53和VEGF的表达明显减弱（$P<0.05$）。结论：中药胃康宁对胃癌细胞的生长，P53和VEGF及其受体的表达有抑制作用。

胃癌的发病率和死亡率，在我国的恶性肿瘤中占第一位，是严重影响人类生命健康的恶性肿瘤。胃癌的发生、发展是一个多因素、多基因的复杂过程。在这一过程中，原癌基因、抑癌基因、凋亡基因的失活、突变或失调均可使细胞增殖失控而发生恶性转化。本文研究了突变型P53与血管内皮细胞生长因子（VEGF）及其受体在胃癌细胞中的表达，及中药胃康宁的防治作用，以探讨P53与VEGF在胃癌发生发展过程中的作用及中药胃康宁的防治效果。

一、材料与方法

（一）材料

CO_2培养箱：美国NAPCO－5410型。KONTRON IBAS2.0全自动图像处理系统；德国ZEISS公司产品。流式细胞仪：美国Becton dickinson公司产品。RPMI－1640培养基、小牛血清购于英苇创津试剂公司，VEGF多克隆抗体、P53单隆抗体、SABC试剂盒，DAB显色液均由武汉博士德公司提供。MGC－803胃癌细胞株和Wistar雄性大鼠，清洁级，体重180－200g，由中山大学实验动物中心提供。

（二）实验方法

1. 中药胃康宁组成及药液制备：中药“胃康宁”由党参，半枝莲，五灵脂等组成，制成生药（g）:药液（ml）＝1（g）:1（ml）及2（g）:1（ml）浓度的“胃康宁”制剂，加防腐剂苯甲酸（0.1g/100ml）、4℃冷藏保存，供大鼠灌胃、制备含药血清之用。

2. 胃康宁含药血清制备：Wistar 雄性大鼠，清洁级，体重 180－200g，共 120 只，随机分为 4 组。低剂量组按 5g 生药/kg 体重剂量灌胃，中剂量组按 10g 生药/kg 体重灌胃，高剂量组按 20g 生药/kg 体重剂量灌胃，对照组给予相同体积的生理盐水，每日 1 次，连灌 1 周。末次灌药后 1h 在无菌条件下自腹主动脉采血，1700 转/分离心制备含药血清；将所采各组动物血清分别混合，－70℃冷藏备用，临用前需 56℃灭活 30min。

3. 胃癌细胞培养

复苏 MGC－803 胃癌细胞株，体外传代培养，用含 10%小牛血清（FBS）的 RPMI－1640 培养液，置于 37℃、5% CO_2 孵育箱中培养 48～72h，每 24h 换培养液一次。待培养瓶底铺满胃癌细胞后，弃去培养液，用 0.25%胰蛋白酶消化胃癌细胞，含 10%小牛血清的 RPMI－1640 培养液调整细胞浓度为 2×10^6/ml 分别接种。设空白对照组、血清对照组、“胃康宁”含药血清高、中、低剂量实验组共 5 组。①空白对照组给予常规培养液；②血清对照组予常规培养液的同时加用正常大鼠血清；③高剂量实验组给予常规培养液的同时加用高剂量胃康宁含药血清；④中剂量实验组予常规培养液的同时加用中剂量胃康宁含药血清；⑤低剂量实验给予常规培养液的同时加用低剂量胃康宁含药血清。共同培养两代后，以倒置显微镜观察各组胃癌细胞株的细胞学形态变化及倍增指数；以流式细胞仪检测细胞生长周期的变化。

4. 胃康宁对胃癌细胞增殖周期的影响

将胃癌细胞按 1×10^5/ml 的浓度分别均匀接种于含 10%含药血清的培养基中，共同培养两代后，分别用 0.25%胰蛋白酶消化，制备单细胞悬液，PBS 洗涤后用－20℃预冷的乙醇固定，碘化吡啶（PI）染色后用流式细胞仪检测细胞周期的变化。

5. 胃康宁对胃癌细胞 P53，VEGF 及其受体 Flt 表达的影响

将胃癌细胞按 1×10^5/ml 的浓度均匀接种于含 10%含药血

清的培养基中，共同培养两代后用免疫组化法（SABC法）检测P53和VEGF及其受体Flt的生物活性，按说明书进行。结果采用德国KONTRON IBAS2.0全自动图像处理系统进行定量分析。

6.统计学处理：检测结果用SPSS软件进行统计学分析。

二、结果

（一）胃康宁对胃癌细胞周期的影响

检测结果表明，用药组与对照组相比，处于不同细胞周期的细胞所占比例有明显的差异，且随剂量的增加有所变化（见表1、图1）。

表1　各组胃癌细胞不同周期细胞所占比例

组别	各细胞周期细胞比例（%）		
	G0－G1期	G2－M期	S期
高剂量组	65.40①②	11.62①②	22.99①②
中剂量组	56.92①②	17.08①②	26.00①②
低剂量组	55.89①②	19.37①②	24.74①②
对照组	41.35	23.65	35.00

①与对照组比较 P＜0.01，②各组间比较 P＜0.01

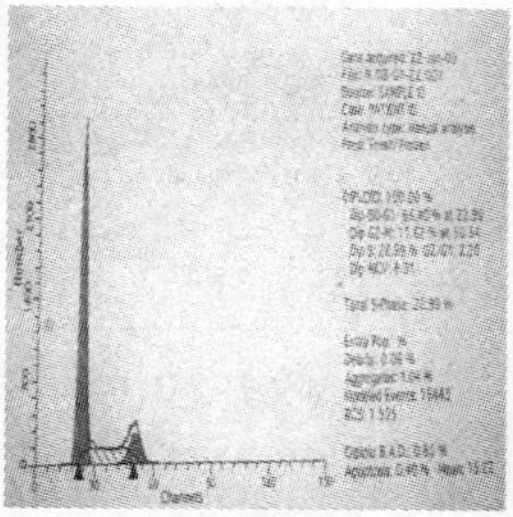

高剂量组

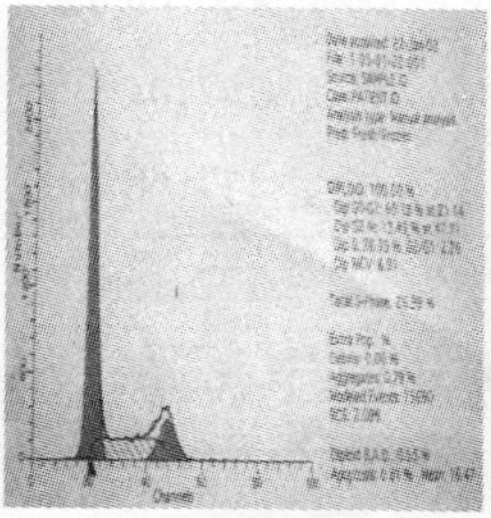

中剂量组

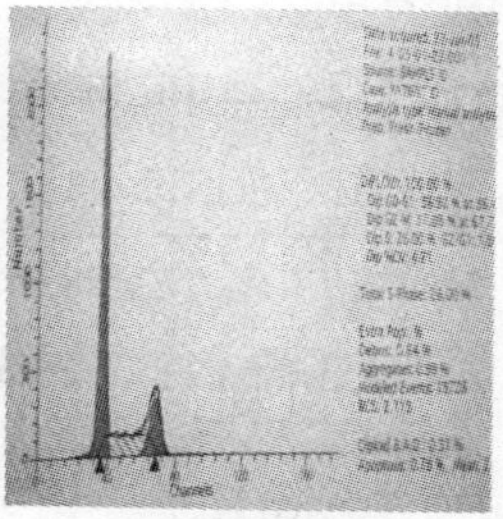

低剂量组

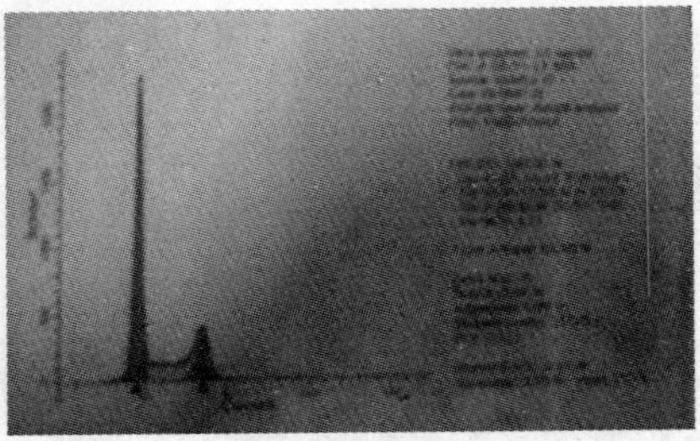

血清组

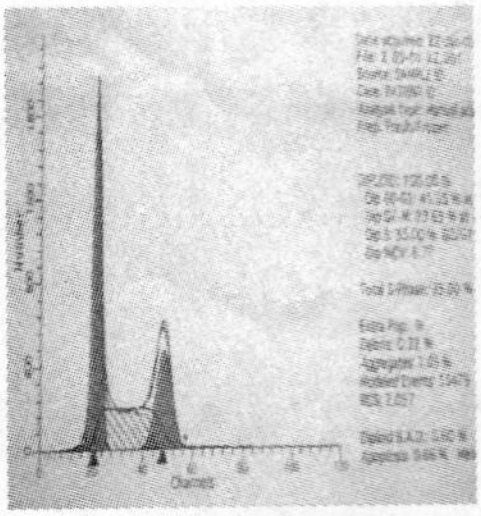

空白对照组

图1 各组中胃癌细胞的周期变化

（二）胃康宁对胃癌细胞P53，VEGF及其受体Flt表达的影响

检测结果表明，用药组与对照组相比，胃癌细胞中P53和VEGF及其受体的表达均受到不同程度的抑制（见表2，图2，图3，图4）。

表2 P53和VEGF及其受体Flt表达的图像处理结果

分组	各组图像的灰度值		
	P53	VEGF	Flt
高剂量组	186.82①	198.44①	168.61①
中剂量组	195.35①	188.66①	162.02①
低剂量组	162.62①	197.01①	148.19①
血清组	165.11	177.68	142.55
对照组	162.78②	172.15②	144.31②

①各组间比较，与对照组比较 $P<0.01$；②与血清组比较 $P>0.05$

三、讨论

根据祖国医学理论，胃癌的发生与气郁、痰积、脾虚、瘀毒等病理因素密切相关的认识，我们采用健脾化痰、清热解毒、理

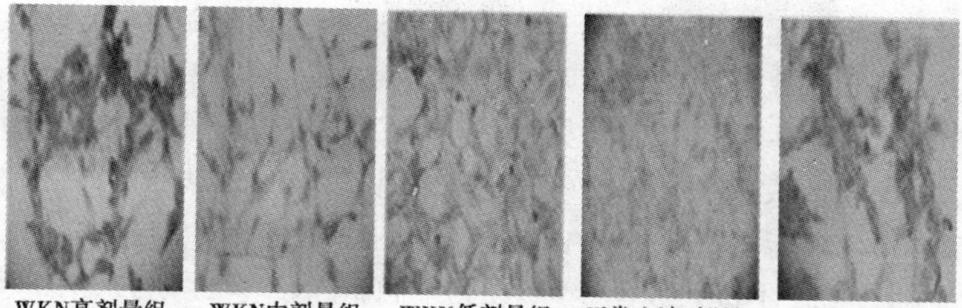

WKN高剂量组　WKN中剂量组　WKN低剂量组　正常血清对照组　空白对照组

图 2　各组 P53 表达

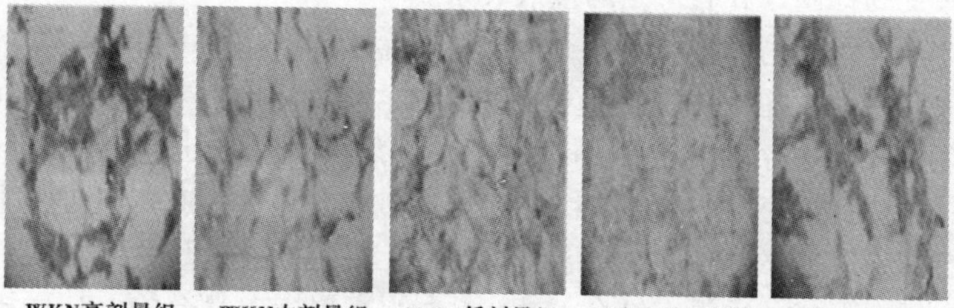

WKN高剂量组　WKN中剂量组　WKN低剂量组　正常血清对照组　空白对照组

图 3　各组 VEGF 表达

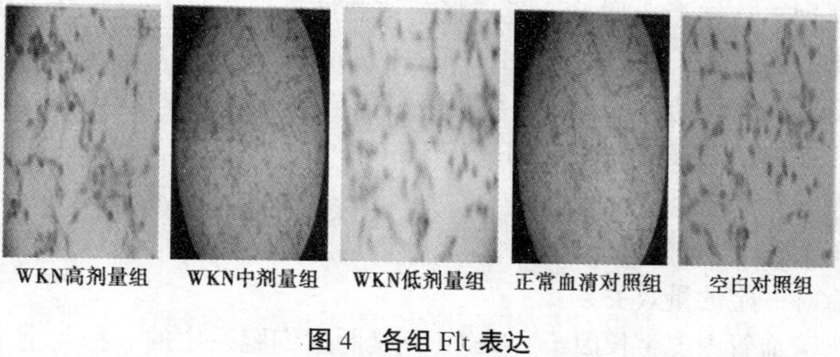

WKN高剂量组　WKN中剂量组　WKN低剂量组　正常血清对照组　空白对照组

图 4　各组 Flt 表达

气活血、消瘀散结的方法防治胃癌，已取得一定疗效。本实验采用中药胃康宁给 Wistar 雄性大鼠灌胃制备含药血清，用含药血清培养胃癌细胞，分别用流式细胞仪及免疫组化方法检测细胞周期、P53 和 VEGF 及其受体的表达。结果表明胃康宁对胃癌细胞周期、P53 和 VEGF 及其受体的表达均有明显抑制作用。

肿瘤细胞的增殖周期与正常细胞一样，要经过 G1 期、G2 期、M 期、S 期等 4 个时期才能完成一次细胞的增殖过程，任何能阻断这 4 期中的一期或多期的药物都能有效地抑制肿瘤细胞的增殖生长，从而表现出良好的抑瘤作用。本实验结果提示，胃康宁含药血清能将增殖过程中的 MGC－803 胃癌细胞阻滞于 G0－G1 期，使之不进入或延迟进入 S 期（即 DNA 合成期），干扰了 DNA 合成，胃癌细胞因而丧失了进行有丝分裂的基础，增殖生长受到抑制，并有一定的量效关系。

在胃癌的发生、发展过程中，原癌基因的激活与抑癌基因的失活以及一些相关的分子对胃癌生物学行为起着重要的作用。在多种肿瘤中存在 P53 基因突变，在胃癌的病变中也同样存在的 P53 基因突变。突变的 P53 蛋白可通过“负显性效应”阻碍野生型 P53 基因的抑制生长功能，突变型 P53 蛋白与野生型 P53 蛋白结合形成几乎没有结合 DNA 能力的寡聚蛋白复合物，从而不能控制这些位点的基因转录，这些位点可能是抑制细胞或癌变的基因，这样突变型 P53 蛋白将导致肿瘤进一步生长。且 P53 在本病的发生、发展中与 P16，P21，nm23，hTRT 等基因及相关分子有密切的关系。甚至与幽门螺杆菌的感染也有一定的关系。本实验的结果显示，各用药组 P53 图象的灰度值均增加（灰度值与染色深度成反比），与对照组比较差异具有显著性（$P<0.01$），说明胃康宁对 P53 基因的表达具有一定的抑制作用，并存在一定的量效关系。

血管内皮生长因子（VEGF）是肿瘤细胞系中的一种新型生长因子，它特异性地作用于血管内皮细胞，促进血管内皮细胞增殖。对原位肿瘤形成和生长以及转移瘤的形成起着十分重要的作用。消化道肿瘤、膀胱癌、造血系统肿瘤、胶质细胞瘤等存在 VEGF mRNA 及蛋白的过度表达。并且 VEGF 的表达与胃癌的浸润转移有关。在肿瘤生长过程中，血浆蛋白（如纤维蛋白原和纤溶酶原）从高渗透性的血管中外渗并凝固，形成纵横交错的纤维蛋白胶滞体，纤维蛋白胶滞体为肿瘤细胞或炎症细胞和从邻近结缔组织来的再生血管提供暂时性基质，这种暂时基质最终降解并转化成胶原结缔组织，将无限地维持肿瘤生长。血管内皮细胞的表面存在着 VEGF 受体，VEGF 通过与 VEGF 受体结合而诱导血管内皮细胞的增殖。还通过其他机制参与血管形成。VEGF 的表达受到基因水平的调控，阻断 VEGF 与 VEGF 受体的结合及 VEGF 的信号转导，便可抑制 VEGF 的生理功能，从而抑制肿瘤的形成。本研究结果表明，各用药组 VEGF 及其受体 Flt 图象的灰度值均增加，与对照组比较差异具有显著性（$P<0.01$），说明胃康宁对 VEGF、Flt 基因的表达具有一定的抑制作用，并存在一定的量效关系。

综上所述，中药胃康宁含药血清对胃癌细胞的增殖生长周期，以及胃癌细胞中 P53 和 VEGF 及其受体的表达均有一定的抑制作用。这也许就是其抗癌作用的机制所在。

（闵存云，李庆明）

Effect of Weikangning on gastric cancer cell growth and expression of vascular endothelial growth factor and its receptors KDR and Flt-1

ABSTRACT：AIM：To observe the effect of Chinese traditional herbal decoction weikangning（WKN）on cell growth and expression of VEGF and its receptors KDR and Flt-1 in gastric cancer cell line MGC-803.METHODS：A total of 120 male Wistar rats were divided into control group，high dose，medium dose and low dose groups fed with natural saline，20，10，and 5g/Kg of WKN respectively. The experimental animals were finally killed for the preparation of drug containing serum. The gastric cancer cell MGC-803 was cultured with the drug containing serum drawn from the rats in different groups. We observed the growth condition of the cancer cells with light microscope and flow cytometer. The expression of mRNA of VEGF and its receptors KDR and Flt-1 was detected with RT-PCR. RESULTS: The proportion of cells in G0-G1 phase was (65.40 ± 0.41)%, (56.92 ± 0.62)%, (55.89 ± 0.69)% in high, medium and low dose groups respectively vs (41.35 ± 0.55)% in control group ($P<0.01$), while the cells in G2-S and S phases were (11.62 ± 0.62)% and (22.99 ± 0.69)%, (17.08 ± 0.80)% and (26.00 ± 0.71)%, (19.37 ± 0.57)% and (24.74 ± 0.64)% in high, medium and low dose group respectively vs (23.65 ± 0.56)% and (35.00 ± 0.60)% in control group ($P<0.01$). The expression of mRNA of VEGF and its receptors was significantly decreased, the area of electrophoresis bands (AREA), the absorptivity of mean optical density (OD) and the product of AREA and OD were significantly lower in WKN administered groups than in control group ($P<0.01$). CONCLUSION: The decoction of WKN suppresses the growth of gastric cancer cell MGC-803 and decreases the expression of mRNA of both VEGF and its receptors KDR and Flt-1.

INTRODUCTION

Gastric cancer continues to be one of the most common malignancies in humans worldwide, severely influencing people's health of human being. In China, its mortality accounts for the leading cause of death among malignant tumors. The occurrence and development of gastric cancer is a complicated process involving multi-factors and multi-genes. During this course, the malfunction of proliferation of cells resulting from the inactivation, mutation or irregulation of pro-oncogenes, suppressive oncogenes and apoptosis related genes leads to malignant conversion. Our study investigated the expression of mRNA of both VEGF and its receptors in gastric cancer cell line MGC-803, and the effect of traditional herbal decoction WKN on it.

METHODS

Preparation of WKN decoction

WKN was made up of Codonapsis Pilosula, herba scutellariae barbatae, etc (the powder preparation was supplied by Jiangyin Pharmaceutical Factory, Jiangsu Province, China). Each milliliter of preparation of WKN decoction solution contains 1g crude drug equivalently. The preparation added with benzyl acid (0.1g/100mL), was stored at 4℃ for animal feeding.

Preparation of drug containing serum

A total number of 120 Wistar rats (clean rank, supplied by Sun Yat-Sen University Experimental Animal Center, Guangzhou, China) weighing 120-150g, were randomly divided into 4 groups. The high dose, medium dose and low dose groups were fed with decoction of WKN containing equivalently 20, 10, 5g/kg crude drugs respectively, while the control group was fed with saline of the same volume. All groups were fed once a day for 1 week. During the first hour after the last feeding, blood was aseptically drawn from abdominal aortas of the animals in different groups and immediately centrifuged at 1700r/min to harvest the serum. The preparation of drugs containing serum was blended according to different groups and stored at −70℃, inactivated at 56℃ before use.

Culture of gastric cancer cells

Gastric cancer cell line MGC−803 (supplied by Experimental Animal Center of Sun Yat-sen University, Guangzhou, China) was cultured in RPMI-1640 medium (purchased from NBS, USA) containing 100g/L fetal bovine serum (FBS, purchased from Invitrogen Biotech, Shanghai, China) in an incubator (purchased from NAPCO, USA) containing 50mL/L CO_2 at 37℃ for 48～72h after resuscitated. The medium was changed every 24h, was discarded after the bottom of flasks was covered with cells. Culture medium RPMI-1640 supplemented with 100g/L FBS was used to adjust the cell density to 2×10^6/mL after the cells were trypsinized with 2.5g/L trypsin, and then the cells were inoculated into serum respectively.

The cells in control group were grown in routine culture medium. The cells in serum group were grown in the serum from normal rats. The cells in high, medium and low dose groups were grown in the sera from high, medium and low dose group animals respectively. After cells were grown for two generations in vitro, we observed the morphological change of the cells and the index of doubling proliferation with reverse microscope and detected the cell cycle change with flow cytometer (purchased from Becton-Dickinson, France).

Evaluation of cell cycle

After the cells (1×10^6/mL) were evenly inoculated into the culture medium containing 10% drug containing serum and grown for two generations, we collected the suspension of cells after trypsinized with 2.5g/L trypsin. Then the cells were washed with PBS, embedded in alcohol at −20℃, and dyed by PI, the change of cell cycle was observed with flow cytometry.

Effect of WKN on the expression of VEGF and its receptors KDR and Flt-1

Guanidinium isothiocyanate-phenol single-step method was applied to extract the total RNA of cells using TRIzol (purchased from GIBCO BRL, Gathersburg, MD, USA) following the instruction of the kit. The integrity, purity and concentration of the mRNA extracted were detected with ultra velvet spectral photometer and agarose gel electrophoresis. The RNA extract solved in DEPC was stored at −70℃.

Design and synthesis of the primers

According to the sequences of human mRNA of VEGF, KDR and Flt-1, the primers were designed (Table 1), synthesized and supplied by Boya Biotech, Shanghai, China.

Table 1 Primers for PCR

	Positive	Negative
VEGF	5'AATGCTTTCTCCGCTCTG3'	5'TTGCTGCTCTACCTCCAC3'
Flt-1	5'CAAGTGGCCAGAGGCATGGAGTT3'	5'GATGTAGTCTTTACCATCCTGTTG3'
KDR	5'GAGGGCCTCTCATGGTGATTGT3'	5'TGCCAGCAGTCCAGCATGGTCTG3'
β-actin	5'CTAYYGGCAACGAGCGGTTC3'	5'CTTAGGAGTGGGGGTGGCTT3'

RT-PCR

First-strand cDNA was synthesized from 2μg RNA solved in water administered with DEPC, in which 0.2μL oligodT was added at 70℃ for 5min, and placed on ice for 1min, then 1μL MMLV reverse transcriptase (200IU/μL), 0.5μL Rnasin (40IU/μL), 5μL 5xRT buffer, and 1.5μL dNTPs (10mM/L) added at 42℃ for 60min. The reverse transcriptase was inactivated at 65℃ for

5min. Five microliter cDNA, 12.5mL 10x buffer, 3μL 2mM dNTPs, 0.5μL 5IU/L LA Taq enzyme and water were added to a volume of 25μL. The final concentrations of positive and negative chain primers were both 0.8μm/L. VEGF was amplified for 30 cycles at 94℃ for 1min, at 55℃ for 1min, at 72℃ for 2min, and extended at 72℃ for 7min. KDR and Flt-1 were both amplified for 30 cycles at 95℃ for 2min, at 94℃ for 1min, at 60℃ for 1min, at 72℃ for 2min, and extended at 72℃ for 7min. The area of electrophoresis bands (AREA), the absorptivity of mean optical density (OD) and the product of AREA and OD were quantitatively analyzed respectively after the product of PCR was detected with auto image manipulating system following agarose gel (2%) cataphoresis and dyed with EB. The samples were controlled with blank and β-actin.

Statistical analysis

Software SPSS was applied for the statistical analysis of the data from the experiments.

RESULTS

Effect of WKN on cell cycle

Our results showed that there was significant difference in proportions of cells in different phases between drug administered groups and control group in a dose dependent manner (Table 2, Figure 1).

Table 2 Proportion of cells in different phases of cell cycle of different groups

Groups	Proportions of cells (%)		
	G_0-G_1 phase	G_2-S phase	S phase
High dose	65.40±0.41[ab]	11.62±0.62[ab]	22.99±0.69[ab]
Medium dose	56.92±0.62[ab]	17.08±0.80[ab]	26.00±0.71[ab]
Low dose	55.89±0.69[ab]	19.37±0.57[ab]	24.74±0.64[ab]
Serum	42.25±0.25	22.51±0.58	35.34±0.56
Control	41.35±0.55[c]	23.65±0.56	35.00±0.60

[a]P<0.05 between high, medium, and low dose groups, [b]P<0.01 vs control group.

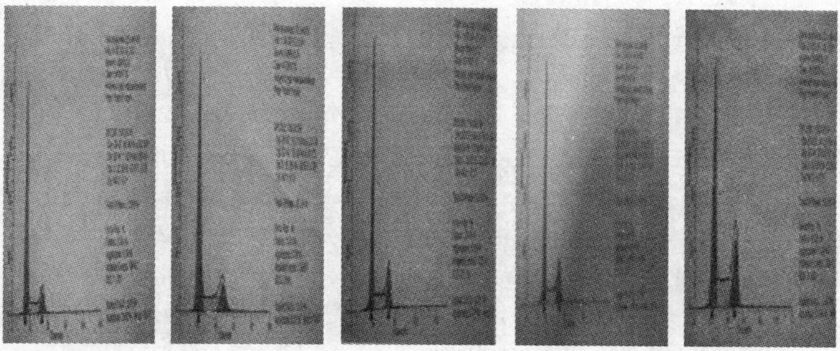
high dose group medium dose group low dose group serum group control group

Figure 1 Effect of WKN on growth of gastric cancer cell MGC-803

Effect of WKN on the expression of mRNA of VEGF and its receptors KDR and Flt-1.

The mRNA expression of VEGF and its receptors KDR and Flt-1 mRNA was seen in all groups, however compared with the control group, the expression was decreased in drug administered groups in a dosage related manner. (Table 3, and Figure 2).

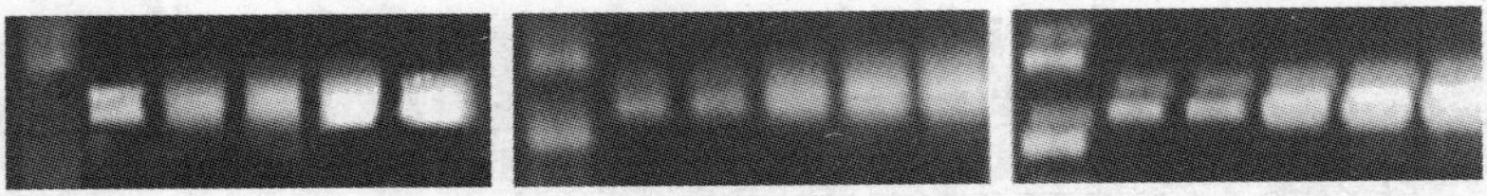

Expression of VEGF mRNA，Expression of KDR mRNA，Expression of Flt-1 mRNA

Figure 2 Expression of VEGF，KDR and Flt-1 mRNAs.Lanes 1 to 6 were loaded with the marker，high dose，medium dose，low dose，serum groups and control group.

Table 3 Effect of WKN on the mRNAs of VEGF and its receptors KDR and Flt-1

groups		High dose	Medium dose	Low dose	Serum	Control
	AREA	120[b]	134[ab]	192[ab]	261	297
VEGF	OPTDM	0.072[b]	0.107[ab]	0.140[ab]	0.152	0.174
	APTDI	8.588[b]	14.373[ab]	25.856[ab]	39.555	50.850
	AREA	79[b]	178[ab]	239[ab]	272	408
KDR	OPTDM	0.237[b]	0.112[ab]	0.150[ab]	0.162	0.282
	APTDI	18.752[b]	19.883[ab]	35.764	44.183	115.242
	AREA	111[b]	197[ab]	247[ab]	271	306
Flt-1	OPTDM	0.061[b]	0.275[ab]	0.340[ab]	0.368	0.407
	APTDI	6.805[b]	54.256[ab]	84.040[ab]	99.600	124.531

[a]$P<0.05$ vs high dose group，[b]$P<0.01$ vs control group.

DISCUSSION

The proliferation of tumor cells as normal cells goes through the cell cycle which is known to consist of four phases：G1，G2，M and S.Drugs with effect of tumor suppression by blocking any one，or more of the four phases can effectively inhibit the growth of tumors［9］.Our results showed that WKN containing serum arrested the gastric cancer cell MGC-803 in G0-G1 phase，blocked or delayed the entry into S phase，disturbed the synthesis of DNA.The growth and proliferation of cancer cells were inhibited in a dose dependent manner.

VEGF is a new type growth factor in tumor cells, which specifically acts on endothelial cells, and prompts the proliferation of endothelial cells, playing an important role in the formation and growth and metastasis of tumors. In the course of occurrence and development of gastric cancer, angiogenesis play a crucial role in which VEGF is believed the most important factor in neovascularization. The expression of VEGF is commonly shown in gastric cancer cells in a number of studies. One mechanism of invasion and metastasis of gastric cancer is related with the pro-angiogenesis action performed by VEGF, and the extent of its expression is closely related with the occurrence, development and prognosis of gastric cancer, especially the expression of VEGF-C and VEGF-D is the important marker of lymph node metastasis of the cancer. Some studies in rats showed that the level of VEGF in serum was not only related with the prognosis of gastric cancer, but also with the efficacy of therapy. Both the two kinds of specific receptors of VEGF, KDR and Flt-1, are commonly distributed in vascular endothelial cells. VEGF's combination with any one or both of its receptors activated the intrinsic tyrosinase. By tyrosinase signal transduction pathway, the tyrosine remnant in the cytoplasma was activated and then vascular derived factors were secreted to function. Our study confirmed that KDR and Flt-1 also exist in the surface of cancer cells, consistent with other recent studies. Most investigators believe that VEGF secrets in an autocrine way.

Some scholars have proposed anti-cancer therapies targeting at VEGF and its receptors. Studies have shown that monoclonal anti-VEGF antibodies can inhibit the procession and metastasis of cancers. The anti-sense mRNA of VEGF inhibits the expression and secretion of VEGF by complimentarily combining with the bases of VEGF mRNA, inhibiting the transcription and increasing the degradation of VEGF mRNA. Soluble receptors or antibodies combining with the excessive VEGF in serum are also effective. Soluble VEGF receptor Flt-1 combines with VEGF with a high affinity through the formation of isogenical homodimer or combines with integral Flt-1 or integral KDR to form heterogenical alloploid, competitively inhibiting the combination of VEGF with integral Flt-1 or the autopolyploid of KDR, resulting in the blockage of stimulation VEGF on endothelial cell proliferation, and finally suppression of angiogenesis. Flt-1 coupled with small peptides can combine with human umbilical vein blood cells and cancer cells to inhibit the angiogenesis, prompt the necrosis of tumor tissues and significantly inhibit the growth of cancer cells.

Studies on Chinese traditional medicine recently show that herbs belonging to spleen boosting and Qi tonification as well as their compounds not only improve the immune function and quality of life of patients with gastric cancer, but also increase the curative effect of anticancer drugs, and decrease the toxic side effects. Herbs with spleen boosting, Qi tonifying, blood circulation stimulating and thrombosis dissolving functions as well as their compounds could induce or prompt the differentiation and maturation of cells with intestinal metaplasia and heterogeneous type proliferation, inhibit and remedy the abnormal propagation and protect the gastric mucosa. Our previous studies had shown that WKN could inhibit not only the growth of gastric cancer, but also the expression of P53 and VEGF in gastric cancer tissues. The current study shows that the expression of VEGF and KDR, Flt-1 was decreased in drug administered groups, indicating that WKN could inhibit the expression of receptors in a dose dependent manner. It also shows that the therapeutic action of herbs on gastric cancer involves multiple factors and at multiple levels. The herbs act not only on related genes, but also on relevant proteins or receptors. The expression of VEGF and its receptors is regulated by a variety of cytokines and tumorigenic genes, further studies are required to determine the exact molecular mechanism of WKN's effect on VEGF and its receptors KDR and Flt-1.

(Li QM, Kan FJ. World J Gastroenterol, 2005; 11: 789 - 341)

中药胃康宁对胃癌细胞周期调控因子的影响

摘要　目的：观察胃康宁含药血清对胃癌细胞周期因子CDK2、CDK4和细胞周期抑制因子p16、p21表达的影响，探讨胃康宁抗胃癌的作用机理。方法：制备胃康宁含药血清培养胃癌细胞，采用免疫组化SABC法检测胃癌细胞CDK2、CDK4、p16和p21的表达。结果：胃康宁各用药组可减低胃癌细胞CDK2和CDK4的表达而促进p16和p21的表达。结论：胃康宁抑制细胞周期因子CDK2和CDK4的表达，促进细胞周期抑制因子p16和p21的表达是胃康宁抗胃癌的机理之一。

胃癌是我国常见的恶性肿瘤之一，其死亡率居各种恶性肿瘤之首，严重威胁着人民的生命健康。在有关胃癌发生、发展和治疗的研究中，国内外很多学者对胃癌细胞周期及其调控进行了大量研究，逐渐认识到胃癌是由多基因变化导致细胞周期紊乱，以致细胞失控性生长所致的恶性疾病，肿瘤的过度增殖与癌细胞周期调控因子紊乱密切相关。我们以往的研究表明，中药胃康宁对胃癌有较好的疗效，不仅对大鼠实验性胃癌有抑制作用，尚可抑制人胃癌细胞的生长，抑制人胃癌细胞中 VEGF 及其受体的表达，并可将胃癌细胞阻滞于 G0－G1 期，使进入 S 期的细胞明显减少。在此基础上，我们进一步研究胃癌细胞周期的调控因子以及中药胃康宁对胃癌细胞周期 G1/S 转换过程的影响，以期为防治胃癌开创新的途径、新的药源提供科学依据。

一、材料与方法

（一）材料

CO_2 培养箱：美国 NAPCO－5410 型。KONTRON IBAS2.0 全自动图像处理系统；德国 ZEISS 公司产品。RPMI－1640 培养基、小牛血清购于英苇创津试剂公司，CDK2、CDK4、CDK6、p16、p21 单克隆抗体、SABC 试剂盒，DAB 显色液均由武汉博士德公司提供。MGC－803 胃癌细胞株和 Wistar 雄性大鼠，清洁级，体重 180－200g，由中山大学实验动物中心提供。

（二）实验方法

1. 中药胃康宁组成及药液制备　中药“胃康宁”由党参，半枝莲，五灵脂等组成，制成生药（g）：药液（ml）＝1（g）：1（ml）及 2（g）：1（ml）浓度的“胃康宁”制剂，加防腐剂苯甲酸（0.1g/100ml）、4℃冷藏保存，供大鼠灌胃、制备含药血清之用。

2. 胃康宁含药血清制备　Wistar 雄性大鼠，清洁级，体重 120～150g，共 120 只，随机分为 4 组。低剂量组按 5g 生药/kg

体重剂量灌胃，中剂量组按10g生药/kg体重灌胃，高剂量组按20g生药/kg体重剂量灌胃，对照组给予相同体积的生理盐水，每日1次，连灌1周。末次灌药后1h在无菌条件下自腹主动脉采血，1700转/分离心制备含药血清；将所采各组动物血清分别混合，-70℃冷藏备用，临用前需56℃灭活30min。

3. 胃癌细胞培养　复苏MGC-803胃癌细胞株，体外传代培养，用含10%小牛血清（FBS）的RPMI-1640培养液，置于37℃、5% CO_2 孵育箱中培养48～72h，每24h换培养液一次。待培养瓶底铺满胃癌细胞后，弃去培养液，用0.25%胰蛋白酶消化胃癌细胞，含10%小牛血清的RPMI-1640培养液调整细胞浓度为 2×10^6/ml分别接种。设空白对照组、血清对照组、“胃康宁”含药血清高、中、低剂量实验组共5组。①空白对照组给予常规培养液；②血清对照组予常规培养液的同时加用正常大鼠血清；③高剂量实验组给予常规培养液的同时加用高剂量胃康宁含药血清；④中剂量实验组予常规培养液的同时加用中剂量胃康宁含药血清。⑤低剂量实验组给予常规培养液的同时加用低剂量胃康宁含药血清。

4. 胃康宁对胃癌细胞CDK2、CDK4、p16和p21表达的影响　将胃癌细胞按 1×10^5/ml的浓度均匀接种于含10%含药血清的培养基中，共同培养两代后用免疫组化法（SABC法）检测CDK2、CDK4、p16和p21的生物活性，按说明书进行。结果采用德国KONTRON IBAS2.0全自动图像处理系统进行定量分析。

5. 统计学处理　检测结果用SPSS软件进行统计学分析。

二、结果

检测结果表明，用药组与对照组相比，胃癌细胞中CDK2和CDK4的表达均受到不同程度的抑制，而细胞周期抑制因子p16

和 p21 的表达得到不同程度的促进（见表 2，图 2，图 3，图 4）。

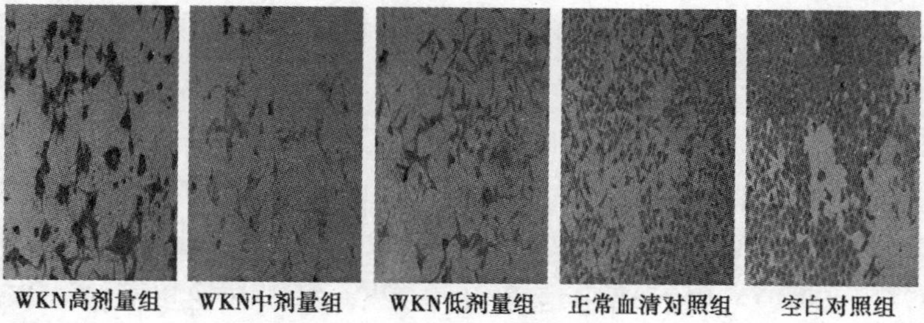

图 1　各组细胞 CDK2 表达（×200）

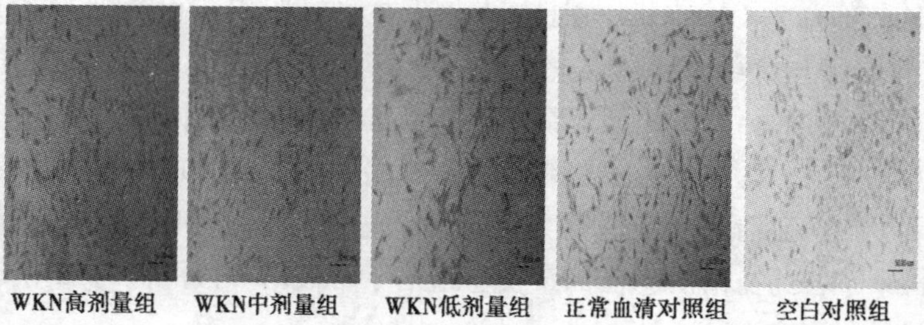

图 2　各组细胞 CDK4 的表达（×200）

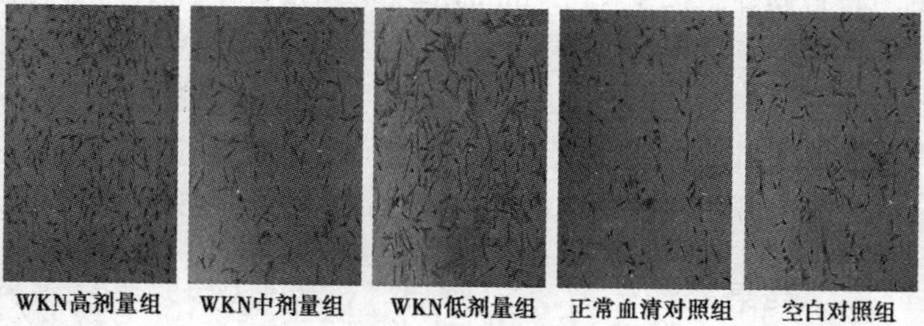

图 3　各组细胞 p16 的表达（×200）

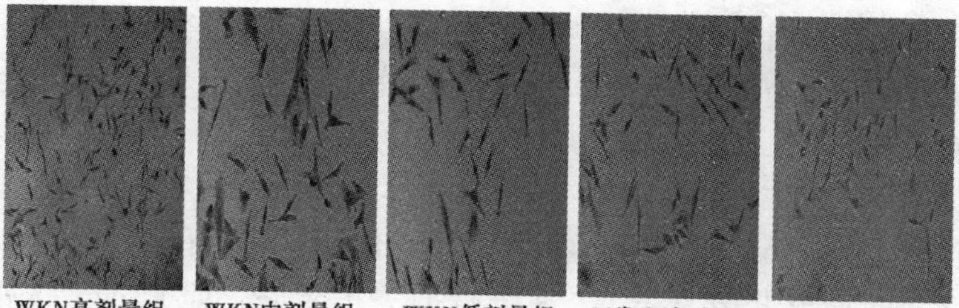

图 4　各组细胞 p21 的表达（×200）

表 1　CDK2、CDK4、p16 和 p21 表达的图像处理结果

分组	各组图像的灰度值			
	CDK2	CDK4	p16	p21
高剂量组	190.22①	190.56①	140.53①	173.04①
中剂量组	189.21①	187.46①	153.92①	183.67①
低剂量组	155.33①	192.20	153.19①	177.34①
血清组	160.44	150.37	188.32	180.52
对照组	175.32②	177.36②	192.23②	191.23②

①各组间比较，与对照组比较 $P<0.01$；②与血清组比较 $P>0.05$

三、讨论

根据祖国医学理论，胃癌的发生与气郁、痰积、脾虚、瘀毒等病理因素密切相关的认识，我们采用健脾化痰、清热解毒、理气活血、消瘀散结的方法防治胃癌，已取得一定疗效。本实验采用中药胃康宁给 Wistar 雄性大鼠灌胃制备含药血清，用含药血清培养胃癌细胞，用免疫组化方法检测胃癌细胞中细胞周期因子 CDK2、CDK4 及细胞周期抑制因子 p16 和 p21 的表达。结果表明胃康宁对胃癌细胞周期因子 CDK2 和 CDK4 具有抑制作用，而对细胞周期抑制因子 p16 和 p21 的表达具有促进作用。

在细胞周期按序完成的进程中，Cdks 的时相性激活是细胞周期得以精密调控的核心，而它又主要依赖于 Cyclins 的细胞周期特异性或时相性表达、积累与分解，换言之，在细胞周期的不同时相分别有时相特异性的 Cyclins 和 Cdks 的表达、积累与分解。在 G1 期的细胞周期素主要包括 cyclin D1、2、3 和 cyclin E，细胞周期素依赖蛋白激酶（Cyclin dependent kinses，Cdks）主要包括 Cdk4、6 和 2；其中 Cyclin D－Cdk4/6，Cyclin E－Cdk2 复合物的形成并积累是 G1 期进行的关键步骤，即 Cyclin D 和（或）Cyclin E 的过度表达，均能缩短 G1 期时间或者加速 G1 期的进行，促进细胞增殖，是肿瘤细胞分裂增殖的重要机制。已有研究结果表明在胃癌组织中存在 CDK2 和 CDK4 的过度表达，提示它们在 G1 期与 Cyclin D/E 结合共同促进胃癌细胞周期的 G1/S 转换。本实验的结果显示，各用药组 CDK2 和 CDK4 图象的灰度值均增加（灰度值与染色深度成反比），与对照组比较差异具有显著性（$P<0.01$），说明胃康宁对 MGC－803 胃癌细胞的 CDK2 和 CDK4 的表达具有一定的抑制作用，并存在一定的量效关系。

在 G1 期和 G1/S 转换期，Cyclin D/Cdk 复合物的激活由多个机制调控，称为细胞周期素激酶抑制物（Cyclin kinase inhibitors，Ckis），Ckis 主要包括两个蛋白家族，一个是 INK4 家族，包括 $p15^{INK4B}$、$p16^{INK4A}$、$p18^{INK4C}$ 和 $p19^{INK4D}$ 等；另外一个家族包括 $p21^{WAF1/CIP1}$、$p27^{KIP1}$ 和 $p57^{KIP2}$ 等。这些抑制物分别与相应的 Cdks 相结合，从而抑制 Cyclin/Cdk 复合物对细胞周期的促进作用。因此，细胞周期的 G1/S 转换最终受控于 Cyclins－Cdks－Ckis 这一组分子的相互作用。p16 可竞争结合 CDK4，抑制 CDK4 的活性，从而抑制细胞增殖，呈现抑癌基因作用。在细胞周期调控中，p16 的失活，引起细胞异常增殖和分化失控，最终导致肿瘤的发生发展。对 p21 表达的研究证明，胃癌组织细胞中 p21 的表达与性别，肿瘤大小，淋巴结转移情况和临床病理分期等临床病理学因素显著相关，p21 阴性的胃癌死亡率升高，提示 p16 和 p21 的低表达在胃癌的发生进展中具有重要意义。本研究结果表明，各用药组 p16 和 p21 的灰度值均减低，与对照组比较差异具有显著性（$P<0.01$），说明胃康宁对 p16 和 p21 的表达具有一定的促进作用，并存在一定的量效关系。

我们以往的研究结果表明，胃康宁含药血清能将增殖过程中的 MGC-803 胃癌细胞阻滞于 G0-G1 期，使之不进入或延迟进入 S 期（即 DNA 合成期），而此次实验研究结果提示胃康宁抑制细胞周期因子 CDK2 和 CDK4 的表达，而促进细胞周期抑制因子 p16 和 p21 的表达，可能是胃康宁抑制胃癌细胞增殖，将细胞阻滞于 G0-G1 期的机制之一。

（阚方巨，李庆明）

胃康宁含药血清对胃癌 MGC-803 细胞增殖抑制作用及机理研究

摘要　目的：观察胃康宁含药血清对胃癌细胞的增殖影响，从细胞凋亡角度探讨作用机理。方法：制备胃康宁含药血清培养胃癌细胞，采用 MTT 法检测细胞增殖，Hoechst DNA 荧光染色法检测细胞凋亡，并计数凋亡率。结果：胃康宁各剂量组在初期均有抑制细胞增殖的作用，而高、中剂量抑制时间更持久。胃康宁高剂量组具有诱导细胞凋亡的作用。结论：胃康宁含药血清可明显抑制细胞增殖，其机理除与诱导细胞凋亡有关，与细胞周期受阻也有关。

胃癌的发病率和死亡率，在我国的恶性肿瘤中占第一位，是严重影响人类生命健康的恶性肿瘤。研究表明，肿瘤的生长不仅是细胞增殖失控，亦是细胞凋亡受阻的结果。诱导肿瘤细胞凋亡也是肿瘤治疗的一个重要手段。采用健脾化痰、清热解毒、理气活血、消瘀散结的中药复方胃康宁防治胃癌，取得较好的效果。我们以体外培养的胃癌细胞 MGC－803 为研究对象，观察胃康宁体外对该细胞的增殖抑制及诱导凋亡作用，探讨胃康宁防治胃癌的机理。

一、材料与方法

（一）材料

细胞系：胃癌 MGC－803 细胞株购自中山大学实验动物中心。MTT 试剂：美国 Sigma 公司产品。Hoechst 33258 染液：美国 Sigma 公司产品。RPMI1640：美国 GIBCO 公司产品。小牛血清：杭州四季青生物制品厂产品。胃康宁含药血清：根据动物与人用药剂量换算结果，分为低、中、高三个剂量，取 40 只成年 Wistar 大鼠，分空白、低剂量、中剂量、高剂量四组，空白组每日以同体积水灌胃。一周后处死取血，分离血清。

（二）方法

1. 细胞培养　将胃 MGC－803 细胞接种于体积分数为 10% 小牛血清的 RPMI1640 培养液中，在 37℃、体积分数为 5% CO_2 及饱和湿度条件下培养。2～3 天换液 1 次，取对数生长期的细胞进行实验。

2. 细胞生长抑制率的测定　采用 MTT（噻唑蓝）还原法检测。取对数期生长细胞，用 0.25% 胰蛋白酶消化体外培养的肿瘤细胞，调整细胞密度为 1×10^5/ml，将细胞悬液接种 96 孔培养板中，每组 6 个孔。加入完全培养基，常规培养 24h，待细胞贴壁。吸出培养上清，每孔加入 100μl 无血清培养基，然后分空白、低剂量、中剂量、高剂量及正常细胞 5 组，分别加入体积分数 50% 的含药血清，正常细胞组加同体积小牛血清。常规培养

24h、48h、72h 三个时段。每个时段结束时将细胞从培养箱中取出，每孔加 MTT 溶液 20μl，37℃继续孵育 4h，终止培养，小心吸去孔内培养上清，每孔加入 150μl DMSO，振荡 10min。选择 495nm 波长，在酶联免疫检测仪测定各孔光吸收值 A，记录结果。

3. 细胞形态学观察　采用 Hoechst 33258 DNA 荧光染色法。用 0.25% 胰蛋白酶消化体外培养的肿瘤细胞，调整细胞密度为 1×10^5/ml，分别将 200μl 细胞悬液接种 24 孔培养板中，每组 4 个孔。加入完全培养基，常规培养 24h，待细胞贴壁。吸出培养上清，每孔加入 1ml 无血清培养基，然后各组分别加入体积分数 50% 的含药血清和小牛血清。常规培养 48h。吸出培养上清液，每孔加入 1ml 体积分数为 20mg/ml 多聚甲醛，放置摇床 30min 固定。吸出固定液，避光环境下每孔加入 1ml 体积分数为 20mg/ml Hoechst 1h。PBS 反复冲洗 3 次。镜下观察计数：荧光显微镜下可见蓝色细胞核，计数 300 个细胞，以出现细胞体积缩小，细胞核固缩、染色质边聚和凋亡小体形成判断为凋亡。凋亡率 = 凋亡细胞数/（正常细胞数 + 凋亡细胞数）。

（三）统计学处理

应用 SPSS 13.0 统计软件对实验结果进行单因素方差分析。

二、结果

（一）胃康宁对 MGC－803 细胞的生长抑制作用（见图 1）

图 1 显示，与正常细胞组比较，空白组、低剂量组、中剂量组、高剂量组均有抑制细胞生长的作用，且高剂量较其他各组抑制作用强。经统计学分析，空白组、低剂量组、中剂量组、高剂量组在前 48h 内均有抑制细胞生长的作用；而在 72h 时高剂量组、中剂量组作用较强，与正常组比较有明显差异（$P<0.01$，

P<0.05)，具有统计学意义；空白组、低剂量组无明显抑制作用（P>0.05）。高剂量组和中剂量组比较无明显差异（P>0.05）。

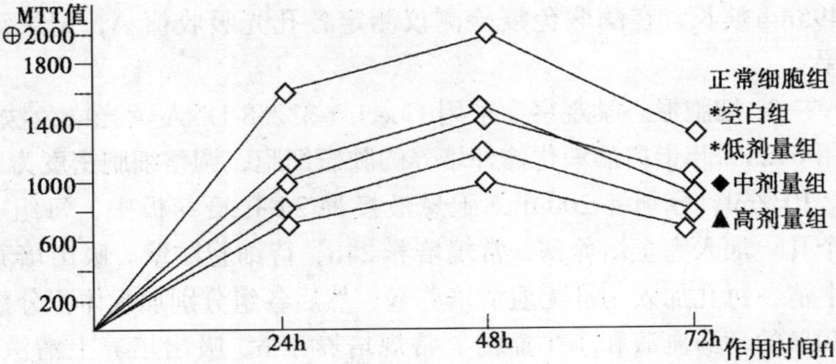

注：◆▲＊与正常组比较；▲P<0.01；◆P<0.05；＊P>0.05

图1　各组抑制细胞生长结果

（二）胃康宁对细胞形态的影响

胃康宁处理细胞一定时间后，细胞形态发生不同的变化，高剂量组细胞生长受到明显抑制，死亡细胞数量增加。Hoechst 荧光染色后，在荧光显微镜下可见细胞膜发生皱缩、细胞形状不规则，染色质密度增加，部分核质浓缩成一个或几个团块，聚集在核膜边，部分核膜崩解，核质形成不均匀的碎片分散于胞浆中，呈现细胞凋亡的变化。（见图2、图3）

（三）胃康宁对细胞凋亡率的影响

表1显示，药物处理48h后，与正常细胞组比较，高剂量组细胞凋亡率明显高于正常细胞组（P<0.01），具有统计学意义。空白组、低剂量组、中剂量组与正常组无明显差异。

图 2　正常细胞荧光染色（Hoechst 33258，＊400）

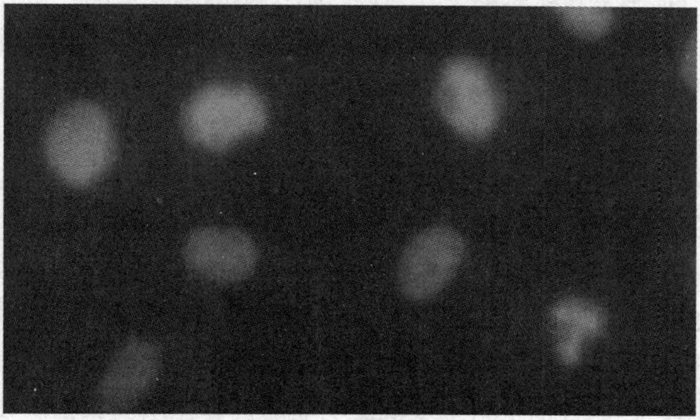

图 3　治疗组细胞凋亡表现（Hoechst 33258，＊400）

表 1　胃康宁对细胞凋亡率的影响（$\bar{x} \pm s$）

组别	N	凋亡率（%）
空白组	4	14.25±0.48◇
低剂量组	4	15.0±0.91◇
中剂量组	4	14.75±0.48◇
高剂量组	4	17.50±0.65＊
正常细胞组	4	14.0±0.41

注：◇＊与正常细胞比较；＊$P<0.05$；◇$P>0.05$。

三、讨论

中医理论认为，肿瘤的病理表现常为血瘀、痰结、毒结、亏虚等，在晚期病人，由于久病耗伤正气，往往多种病理因素同时存在。胃主受纳、腐熟，功能障碍则影响水谷精微形成，所以晚期胃癌患者正气虚弱表现尤其突出，同时伴有血瘀、毒结等情况，基于此种病理状态，以及长期的临床观察，胃康宁由健脾益气、活血化瘀、解毒散结之品组成，在临床上应用多年获得较好的效果，对胃癌的生长和转移有一定的抑制作用。为探讨其作用机理，我们取胃癌 MGC－803 细胞为研究对象，观察了药物处理前后细胞生长状态的变化，以及对细胞的凋亡影响。研究结果表明，胃康宁各剂量组在初期均有抑制细胞增殖的作用，而高、中剂量抑制时间更持久。

细胞凋亡（Apoptosis），又称程序性细胞死亡（programmed cell death，PCD），是机体维持内环境稳定，由基因控制的细胞自主的有序性死亡。细胞凋亡受阻，可能导致癌症或其他疾病的发生。多数学者认为，肿瘤的生长不仅是细胞增殖失控，也是细胞凋亡受阻的结果。因此尝试诱导肿瘤细胞凋亡成为治疗肿瘤的一个重要手段。研究结果表明，胃康宁高剂量具有诱导细胞凋亡的作用，其他各剂量组未表现出明显的诱导作用。我们以往曾观察胃康宁对胃癌 MGC－803 细胞生长周期的影响，结果发现细胞被阻滞于 G0－G1 期，使之不进入或延迟进入 S 期（即 DNA 合成期），干扰了 DNA 的合成，胃癌细胞因而丧失了进行有丝分裂的基础，增殖生长受到抑制。结合本次研究结果，说明胃康宁对细胞增殖的抑制作用，除与细胞凋亡有关外，主要与细胞生长周期受阻有关。

（冯春霞，李庆明）

胃康宁含药血清抑制胃癌 MGC－803 细胞黏附及转移作用研究

摘要 目的：研究胃康宁含药血清对胃癌细胞黏附及迁移能力的影响。方法：制备大鼠含药血清进行细胞培养，以采用MTT 比色法、细胞划痕法进行检测，并观察细胞形态。结果：胃康宁含药血清高剂量组对胃癌细胞的黏附能力有明显的抑制作用，与对照组细胞比较，较多的未贴壁细胞；已贴壁细胞表现为贴壁初期的形态，说明高剂量组可延迟细胞的贴壁时间。胃康宁含药血清高、中、低剂量组均可明显抑制细胞的迁移能力。结论：胃康宁含药血清在体外对肿瘤细胞的黏附和迁移能力有抑制作用，且抑制迁移的作用较强。

侵袭和转移是恶性肿瘤细胞的重要特征。侵袭是指恶性肿瘤细胞离开原发生部位，突破基底膜和细胞外基质构成的屏障，侵犯毗邻的正常组织。转移即恶性肿瘤细胞借助血道、淋巴道等途径，在远离肿瘤原发生长部位的器官内形成继发瘤的过程。能否阻断细胞的侵袭和转移是临床评价肿瘤治疗效果的一个重要指标。胃康宁是李庆明教授在临床应用的经验方，由健脾化痰、清热解毒、理气活血、消瘀散结之品组成，治疗胃癌取得较好疗效。我们以胃癌细胞 MGC－803 为研究对象，以人工重构基底膜材料纤维连接蛋白（Fibronection，FN）模拟基底膜，观察胃康宁抑制胃癌细胞的侵袭和转移作用。

一、材料与方法

(一) 材料

细胞系：胃癌 MGC－803 细胞株购自中山大学实验动物中心。人工重构基底膜材料纤维连接蛋白（FN，美国 Sigma 公司）。小牛血清白蛋白 BSA（华美生物工程公司）。噻唑蓝(MTT，美国 Sigma 公司)。RPMI1640：美国 GIBCO 公司产品。小牛血清：杭州四季青生物制品厂产品。胃康宁含药血清：根据动物与人用药剂量换算结果，分为低、中、高三个剂量，取 40 只成年 Wistar 大鼠，分空白、低剂量、中剂量、高剂量四组，空白组每日以同体积水灌胃。一周后处死取血，分离血清。

(二) 方法

1．细胞培养　将胃 MGC－803 细胞接种于体积分数为 10% 小牛血清的 RPMI1640 培养液中，在 37℃、体积分数为 5% CO_2 及饱和湿度条件下培养。2－3 天换液 1 次，取对数生长期的细胞进行实验。

2．细胞黏附能力测定　采用 MTT 比色法。包被基底膜：用灭菌双蒸水分别配制以下 2 种溶液：含 10g/L BSA 的无血清培养液，10mg/L FN，以 50μl/L 将后一种液体加入 96 孔培养板，4℃过夜。水化基底膜：吸出培养板中残余液体，每孔加入 50μl 含 10g/L BSA 的无血清培养液，37℃，30min。接种细胞：用 0.25%胰蛋白酶消化体外培养的肿瘤细胞，调整细胞密度为 1×10^5/ml，分别将 100μl 细胞悬液接种于包被 FN 的 96 孔培养板，分 5 组：空白组、低剂量组、中剂量组、高剂量组、对照组（细胞常规培养），每组 7 个样本。37℃常规培养 24h，等细胞贴壁。加入处理因素：将含 50%体积分数的含药血清加入前 5 组，将同体积小牛血清加入对照组，37℃常规培养 1h，观察并照相。

MTT 比色法检测：培养 1h 后，按 MTT 比色法测定各孔细胞的光吸光值（A 值），以正常细胞为对照，记录结果。

3. 细胞迁移能力测定　采用细胞划痕法，包被基底膜、水化基底膜方法同上。制备培养单层细胞：将细胞浓度为 1×10^6/ml 的肿瘤细胞接种于包被 FN 的 24 孔板中，每孔 100μl，每组 4 孔。用体积分数为 10% 小牛血清的 RPMI1640 培养液常规培养，直至形成细胞单层。人工划痕：在单层培养细胞上，用移液器滴头沿培养板底呈“一”字形划痕，荧光显微镜下记录划痕区相对距离，用 PBS 洗涤漂浮的细胞，加入无血清培养基，然后分别在相应各组加入体积分数为 50% 的含药血清，正常细胞组加入同体积的小牛血清。继续培养 24h 后，观察并照相，测量迁移距离：荧光显微镜下测量细胞向划痕区迁移的距离，与最初的划痕比较。

（三）统计学处理

应用 SPSS 13.0 统计软件对实验结果进行单因素方差分析。

二、结果

（一）胃康宁含药血清抑制胃癌细胞黏附的作用

图 1 为对照组细胞培养 1h 后细胞贴壁情况，图 2 为胃康宁含药血清培养 1h 后细胞贴壁情况。比较二图，对照组细胞大部分已完全贴壁，细胞形态已接近完全贴壁时的梭形；经胃康宁含药血清培养后的细胞，仍有大量未贴壁的悬浮细胞，且少量已贴壁的细胞仍处于贴壁初期的形态，表现为圆形或不规则的三角形，说明高剂量组可延迟细胞的贴壁时间。用 MTT 法检测各组黏附细胞的吸光值并进行统计学比较，结果胃康宁含药血清高剂量组对胃癌细胞黏附能力有明显抑制作用，与对照组比较有明显差异（$P<0.05$）（见图 3）。

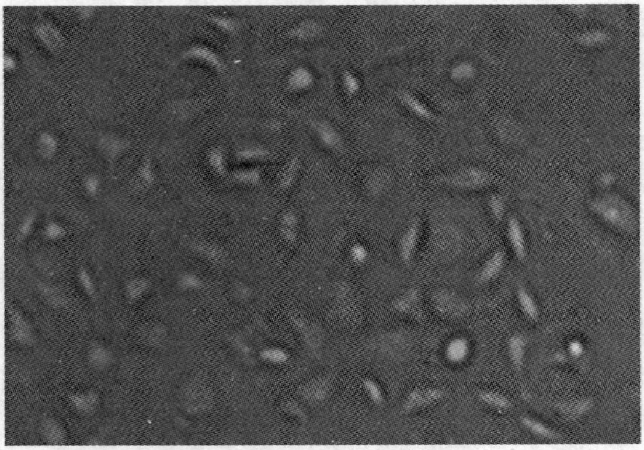

图 1　对照组细胞培养 1h 后贴壁情况（×300）

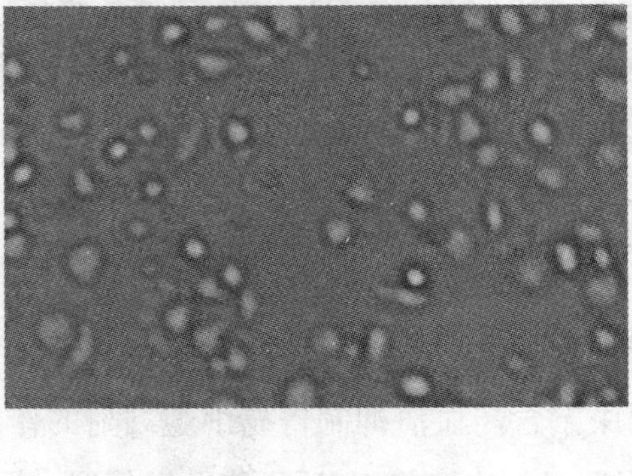

图 2　胃康宁处理 1h 后细胞贴壁情况（×300）

（二）胃康宁含药血清抑制胃癌细胞迁移的作用

胃康宁含药血清培养细胞 24h 后，对照组、空白组细胞划痕区间距缩小显著，甚至几近触合，而其他各组细胞划痕区间距仍存在较大距离（见图 4、5）。经统计学比较，高剂量组、中剂量组、低剂量组均有很明显的抑制细胞迁移的作用，与对照组比较有明显差异（$P<0.01$，$P<0.01$，$P<0.05$），高、中、低三组间比较无明显差异（$P>0.05$）（见表 1）。